100倍
「読者」が増える!
「いいね」が付く!
文章・コラム
の書き方

ぱる出版

まえがき：「人生は書くだけで動き出す」

もしあの時、最初の1フレーズを書いていなかったら？

　はじめまして。

　著者養成学校 SHIONAGI DOUJO 〜 WRITAS!〜の潮凪洋介（しおなぎようすけ）と、申します。現在、私は著者としてビジネス本、人生本、恋愛エッセイなど73冊の書籍を出版した経験などを活かし、「著者・コラムニスト・ライター」を養成する活動をしております。

　今ですら、「書くこと」や「著者の養成」「出版プロデュース」が仕事の中心になっていますが、2002年当時の私は、書くことは得意ではありませんでした。しかも執筆とは無関係の、IT企業の会社員をしていました。

　おまけに、「いつ会社を辞めようか？」と、「人生の迷子の真っただ中」でした。そして息子が生まれる当日、Xデーはやってきました。産婦人科の病室で、会社に秘密の"ある企て"を決行しました。

　その小さな行動が私の人生を180度変えてくれたと言っても良いでしょう。

　総合情報サイト「AllAbout」に、女性向けの恋愛ノウハウ記事をアップしたのです。2002年12月17日は「書き手・潮凪洋介」のデビュー、そして長男の誕生日となりました。

　その3か月後、さらに、ある決断をします。

　「会社で嫌々働くよりも、やりたいことでイキイキと頑張

る父の背中を見せたい！」

　その思いで5000万円の住宅ローンを組み、会社を辞めてしまいまいました。

　生活は困窮しましたが、徐々に「恋愛ノウハウ記事」は大ヒット！1記事で30万人が読むモンスターコラムも生まれ、経済状態は徐々に回復していったのです。

　活動の幅はどんどん広がり、「男ゴコロの本音」を女性に伝える「恋愛専門家」として、雑誌に繰り返し登場。テレビ、新聞、ラジオ、ウエブメディアへの連載や取材が殺到し、関連事業をいくつも展開しました。

　40歳からは「自由人生の専門家（やりたいことを見つけるコンサルタント）」としての書籍を出版。「生き方探し」に関する講演・イベントなども開始しました。

　2020年現在、恋愛・生き方・ビジネスをテーマにした著書は73冊、販売部数は171万部となりました。2010年には、芝浦アイランドのタワー内に著者養成学校 SHIOANGI DOUJO 〜 WRITAS！〜を開校、2015年には目黒洗足の駅徒歩4分に4F建ての自社施設「目黒クリエイターズハウス」を建設しました――

　決して文章が得意とは言えなかった私が、こうなれたのは、最初の1フレーズを書いて発信したからに他なりません。

　私は"書いて発信する"ことで誰でも人生を変えることができると確信しています。ですから、多くの方に挑戦してほしいと願っています。

本著は次のような方々に読んでいただきたい本です。

・「好き」で「得意なこと」を発信してビジネスにしたい。
・書いて発信することで「専門家ブランディング」したい。
・「書いて発信」することで「本業の売上」を増大させたい。
・出版、テレビ、ラジオ、雑誌、WEBメディア、講演、イベントでも活動したい。

そして、私がもっとも本著をお届したいのは、次のような方です。

「書くことが必ずしも得意とは言えない…
でも、伝えたいこと、教えたいこと、叫びたいことがある…」

そんなあなたのために、本著を書きあげました。

今、世の中は「会社だけに頼らない生き方」へと移行しています。自分が「好きで得意なこと」を発信し、新しいビジネスを創る。そんな時代に移行しつつあります。しかも、「副業解禁」と「コロナ」がその、チャンスを大きくしてくれています。
誰もが何かの「専門家と言われる立ち位置から発信して、セルフブランディングする時代」、——その幕は切って落とされたのです。

私は、ぜひあなたにも、このチャンスを活かして頂きたいと思います。

　そして、以下の一心で本著の内容をお届けします。

・会社を辞めずとも副業で書くことで、セルフブランディングしてほしい！
・専門分野のお役立ちコラムを書いてファンを増やし、「本業の拡大」に役立ててほしい！
・書いて発信し、連載、出版、講演、メディア出演を楽しんでほしい。
・「ライティング・ドリーム」を叶えてほしい！

　これらが、本著にこめた私達の思いです。

　本著の要点を先に要約しておきましょう。
　以下の８つの、
　「ライティング・セルフブランディング理論」についてご紹介します。

1. 一番好きで得意な「仕事」「趣味」から執筆テーマを見つける。
2. 世界でオンリーワンの「肩書き」をつくる。
3. 読者目線で「役に立つセオリー」を 30 個以上書き出す。
4. ブログ、SNS などのセルフメディアでセオリーを発信す

る。

5.「ライティング・フレーム（執筆の型）」に従いひたすら書く。

6. メジャーな WEB メディア連載を勝ち取り、ブログの1000倍読んでもらう。

7. 自分の読者リストを持ち、ビジネスを拡大する。

8. メディア活動（出版・テレビ・雑誌・WEB メディア・ラジオ・新聞・講演）をする。

9. 著者文化人として生きることを楽しみ、世の中を「書くこと」で元気にする。

この9つのうちで一番大切なのが「6. メジャーな WEB メディア連載を勝ち取り、ブログの1000倍読んでもらう。」ということです。ブログの読者が増えるのには多くの時間を要します。しかし、世の中に100以上存在する WEB メディアでの連載デビューを勝ち取れれば、あなたの記事は今までの1000倍以上読まれ、ブログにもたくさんの読者が流れ込んできます。

かつての私もそうでした。

WEB 連載をスタートしたことで1カ月で60万人以上に考えを伝えることができました。そしてビジネスを拡大してゆくことができたのです。実際には1000倍どころか1万倍、10万倍の恩恵を WEB メディア連載から貰ったといってもよいでしょう。年収も会社員時代の4〜5倍となり、長年維持してます。

あなたも、本著を使い倒して「書いてセルフブランディングする方法」を実践し、自分を高く売り、ビジネスを成功させてほしいと心から思います。

　最後に…「書くこと」は「幸せになること」への近道です。書き続けることで、自分の存在を確認し、生きる意味を感じることができます。「ライティング・フルネス」が幸せな精神状態で包み込んでくれるのです。

　あなたの未来が、書くことで輝くことを祈りながら、はじめのご挨拶とさせていただきます。

著者養成学校 SHIONAGI DOUJO

〜 WRITAS！〜

潮凪洋介

※注：3章までは考え方や基礎知識を学ぶ章となっております。
実践は、4章からとなっています。

第3章

何のために書くのか？
「ゴール設定」の大切さ（基礎知識編）67

第4章

絶対突き抜ける
「執筆テーマ」の決め方（実践編）79
―執筆はテーマが10割

第5章

世界に1つの「最強のプロフィール」をつくろう（実践編）

第 8 章

1000 倍読まれる！メジャー WEB メディアで連載しよう！（実践編）

第9章

自分で講座やオンラインサロンをやってみよう！（実践編）

序　章

人生が書くだけで動き出した！
先駆者たちの背中

〜誰もが最初は初心者でした。ここでは書くことでセルフブランディングに成功した専門家ライターの体験をご紹介します〜

恋愛デトックスカウンセラー・ライター
下村さき

　私は現在、2人の育児中ですが、独身時代からの「書くこと」によるキャリア形成が今になって、すごく役に立っていると強く感じています。私自身、過去に失恋で拒食、過食、難聴などの体調不良に陥った経験があります。そこから立ち直った経験をもとに『恋愛デトックスカウンセラー』として活動をしています。読者や相談者の恋の痛みやストレスを緩和し、幸せに導く──それが恋愛デトックスカウンセラーのお仕事内容です。

　相談者の方は、恋愛だけではなく、仕事や生き方そのものに悩んでいる方も多くいらっしゃいます。私自身、パラレルワーカーとして、カウンセラー・ライター・モデルなどたくさんの仕事をしているので、恋愛アドバイスだけでなく、最近は女性の働き方提唱も行っています。バリキャリではなくゆるいキャリアで、ちょっとだけ贅沢ができる暮らし＝"ゆるキャリ・プチセレブ"をモットーに『女子キャリクリエイト』を始動し、恋も仕事も人生も充実した女性を増やしていきたいと思っています。

■「好き」はもっとも強い自分の武器

　私は、物心ついたころから書くことが好きで、小学生の頃から「作家」になるのが夢でした。WEBメディアでコラムニストデビューをしてからは、恋愛コラムの記事を月に100本書く！と決め、自身のノウハウやアドバイスを発信し続けました。やはりこれも好き

だからこそできたことで、好きなことを仕事にする幸せを感じることができました。

　この実績があったからこそ、著作『わけもなく男が魅かれる女５０のルール』(三笠書房)、『苦手な女(ヒト)のトリセツ』(自由国民社)の商業出版にも繋がったと感じています。

■「書くこと」が闘病生活を支えた

　もともとは会社員兼副業ライターとしてのデビューでしたが、流産と異常妊娠を機に、独立を決意しました。「書くという仕事があってよかった」と一番強く思ったのは異常妊娠がきっかけで闘病生活を送っていた頃です。

　「この辛い生活も、のちに文章にしよう。文章にして昇華しよう」と思えたのと、ちょうど１冊目の書籍執筆中だったので、治療が辛くても書くという目標が自分を支えてくれました。

　これだけ書くことが好きな私ですが、「書き方、これで合っているかな？」「読者の悩みに答える記事になっているかな？」と不安になることもあります。それを解決する方法は、やはり「悩む前に、書く」ということです。継続のコツは「習慣化」です。「起きたら顔を洗う」くらいの習慣づけができれば理想ですね。

　それに、書き続けることで、読者が何を求めているかを知ることもできるし、マーケティングにも繋がるので、悩んでもとにかく書く！ことをおすすめします。

■女性のためのキャリアクリエイト方法を伝えていきたい

　様々な働き方・様々な職種で働いてきたこと、育児と仕事を両立

してきたことをもとに、今後は好きを仕事にして楽しく暮らしていけるキャリア・クリエイトの方法を世の女性に発信していきたいと思っています。

女性の生き方、キャリアの作り方、マインドセットなどをテーマに、年に1冊本を出せる作家になりたいです。やはり書くことは私の生きがいであり、天職だと感じています。

「SMART BRIDAL」President & CEO
 MBA 婚活心理カウンセラー
吉野麻衣子

私は、昔から勉強や研究が大好きで、高校時代から独学で簿記1級など難易度の高い資格を取得したり、社会人になってからは、自分でお金を貯めて大学院に進学し、MBA を取得したりしました。

また、学生時代、付き合っていた彼氏にひどい振られ方をされ、その人を見返すために独自の恋愛メソッドについても研究するようになりました。振り返ると、この時期に専門知識と恋愛を組み合わせるという「考え方の原点」があったように思います。

その後、会社員として、金融機関に就職した後、経営企画室長や管理本部長、執行役員、CFO などの管理職になりましたが、実は、その会社勤めの最中、15年以上にわたって、婚活者の支援、結婚に至るアドバイスも行っていました。いわゆる社外のライフワークです。その後、2020年独立し、MBA と心理カウンセラーのノウハウと、婚活者を成婚に導いてきた経験をもとに、結婚相談所「SMART BRIDAL」をスタートさせました。

■ SNS での情報発信から月商７桁へ

　結婚相談所をはじめてからは、集客のため、SNS での情報発信は欠かせませんでした。Ameba blog の毎日更新、Facebook 1 日 2 投稿、YouTube 1 日 1 投稿など、継続的な情報発信により、認知度があがり、大手雑誌メディアである「Domani」や「ゼクシー」などで執筆をする機会にも恵まれました。

　その結果、私の活動に賛同してくれる人が増え、応援してくれる味方が沢山でき、何か困ったことがあってもすぐ助けてくれる仲間が増えていきました。講演をさせていただく機会も増え、結婚相談所ビジネスを開始して 3 ヶ月で月商 7 桁を更新しました。

■自分の人生の中に原石がある

　情報発信をこまめにしていると、正直ネタに困る時もあります。そういう時は、読者が何に悩んでいるかをまずは考えることが大切です。そしてその読者の悩みに対して、どういったアプローチ方法が良いのかを考えると、自然とネタにも困らなくなってきます。また、今話題になっているニュースからネタを考えていくのもおすすめです。

　まだテーマは決まっていないけど、これから何かを発信していきたいと考えている方は、自分の人生を丁寧に掘り下げてみてください。人生の棚卸しをすることで、なりたい自分が見つかります。そして、それがキャリアにも繋がります。なりたい自分、それはあなたの原石です。原石が見つかったら、「書く」ことで、ぜひ世に放っていただきたいと思います。

■未来への不安、そして自殺者を減らしたい

　これからも、結婚で幸せになってくれる人を増やしていきたいというのはもちろんですが、「婚活」という軸だけでなく、人生軸すべてにおいて人の幸せを追求していきたいと考えています。

　例えば、高齢者の心理的不安を軽減させたり、未来に夢を持てない若年層の自殺を減らしたいと考えています。自分はひとりぼっちだ、不幸だと思う人を減らして、一人でも生きる希望を持ちながら、幸せな人生を送っていただけるようなお手伝いをしたいと思っています。

　また、高齢者や若年層だけでなく、様々なライフスタイルの変化で不安や心配、問題解決のための、リソースを提供する仕組みを作っていきたいと思っています。

ランガルハウス株式会社　代表
年金大家会　主宰
大長 伸吉

　私は今、サラリーマン・事業主の年金対策と副収入増額を目的として、東京都心の土地取得から賃貸物件の建築、満室経営をワンストップで支援しています。

　セミナー参加者は累計 4000 人。131 棟の建築コンサル実績があり、クライアントは 98%満室。自身の所有物件は、7 棟 43 室で 20 年間、満室の安定経営を継続しています。将来への不安解消として、独自のノウハウによるアパート経営術を指南。マイホームの費用負担の無駄をなくせる賃貸併用住宅の良さを世の中に伝えています。

■継続的な情報発信が商業出版へと繋がる

　サラリーマン大家として成功するためのノウハウを多くの人に
知ってもらえるよう自社ホームページやメルマガなどでコツコツを
書いていたのが「書く」ことの始まりでした。文章を書く時には読
者が知りたいと思うノウハウを入れることが重要です。

　そうすることで、このコラムやメルマガは役に立つと思ってもら
え、読者のリピーターに繋がります。そこから大手 WEB メディア
や一般紙などでもコラムが取り上げられるようになり、TV 取材や
セミナー依頼が増え、現在では 5 冊の著書（商業出版）を出版す
るまでになりました。

■テーマを細分化するとネタに困らない

　普段はお客様に物件を紹介したり、または土地取得のために出歩
いていることが多いので、原稿を書くために集中できる時間の確保
が難しい時があります。だからこそ「この時間は絶対書く！」と決
めて、スケジュール管理をしっかりすることが重要です。

　原稿を書き始めても筆が進まないこともあるのですが、そんな時
はテーマを細かく分けると良いです。大きなテーマを細分化するこ
とで、複数の記事にすることができます。例えば、「アパート経営
を成功させるための方法」というテーマで書こうと思った時に、1
つの記事の中に方法、ノウハウをたくさん詰め込むのではなく、方
法1つ1つを記事にしていくのです。そうすることで、たくさんの
記事が書けることになり、ネタにも困らなくなりました。

　また、読者が原稿を読むことで役に立ったとか、喜んでもらえる

ことを想像して、より分かりやすい文章を書くように心がけることで、文章を完成させることができました。

■生活不安解消のための不動産投資を

　不動産は危ないもの、不動産投資は怖いものと思われる方もいらっしゃるかもしれませんが、実情を理解せずに避けている人もいます。そして年金不安、勤務先の不安、生活不安に対して、自分できることがある状態に気がついていない人が多い中、着実に1棟ずつ安定経営できている人もいます。

　サラリーマンが将来の不安をなくし、余裕をもった生活を送っていただきたいと心から願っています。そのためにも、収益不動産および賃貸併用住宅の良さを広めるべく、これからもコンサルや情報発信、執筆活動により世の中に広めていきたいと思っています。

カワイイ彼女を作りたい30代独身男性の
プロ合コンコーチ
アモーレ石上

　私は現在、男性向け恋愛アドバイザーとして、恋愛カウンセリング、合コン・パーティーなどの出会いイベントを主催しています。物心ついた頃から、「モテない」「恋愛がうまくいかない」「大失恋」を繰り返し、惚れっぽい体質とは裏腹に、恋はいつも実らない。容姿コンプレックスもあり、ネガティブな気持ちを膨らませながら思春期を過ごしていました。

　その後モテない自分を変えるために、週2回ペースで年100回

の合コンに参加し、その生活を 20 年続け、合計 2000 回の合コンに参加しました。その甲斐あって、いつしか魅力的な女性と仲良くなれる力が身につき、男性としての自信もついていったのです。

　自分を変えていくことで恋愛はうまくいきます。そのための考え方、ノウハウを伝えるために、男性に特化した恋愛アドバイスをスタートさせました。

■文化人としてのステップアップ

　恋愛を成功させたい独身男性に、恋愛成就のためのノウハウをお伝えするため、自身の HP やメルマガからコラムの発信を始めました。約 3 年間、地道にコツコツと記事執筆を続けた結果、メディア出演、大手オンラインメディアでの執筆という転機が訪れたのです。

　テレビ出演をはじめ、雑誌「週刊 SPA！」にてコメンテーターとして出演。大手オンラインメディア「東洋経済オンライン」や「マイナビニュース」などでコラムニストとして執筆。さらには著書で「下剋上恋愛のプロコーチが教えるモテる戦略（三笠書房）」の商業出版。

　結果として、多くの人に自分の存在を知ってもらうことができ、恋愛コンサルや恋愛講座で最高月商 7 桁を更新するまでになりました。

■「自分のテーマ×他テーマ」でネタは尽きない

　執筆の機会が増えていくと、書くネタ探しには苦労することもあるかもしれません。自分の書くテーマについて、常に高いアンテナ

を張っておくのはもちろんですが、自分のテーマと関係なさそうなことでも関連付けて書くことが大事かと思います。

　例えば、恋愛×食事、恋愛×運動など一見関係なさそうな分野でも共通点を見つけることで、ネタはいくらでも見つかります。また、テレビで話題になっているニュースの考察記事を書いたりするのもおすすめです。私自身も芸能人の恋愛ニュースの考察記事を書き、反響もありました。

■恋愛で日本を元気に

　今後は、コラムやメルマガの執筆に加え、大手オンラインメディアでの執筆を増やし、さらには2冊目以降の商業出版を目指したいと思っています。恋愛本だけでなく、「イベント開催で副業」といったテーマで、人間関係や仕事の発展に繋がる内容を書きたいと考えています。これからも男性専門の恋愛アドバイザーとして、男らしく変身していく男性を世の中に増やし、日本の活力にも繋げていく所存です。

「EC通販の専門家」
大上達生（おおがみたつお）

　わたしは現在、「通販事業」や「Webネットショップ」を通じて売上を作りたい法人のためのEC事業の専門家として活動しています。

　これまでの15年1000社以上のEC事業をサポートしてきました。ECに特化したマーケティング、セールスから商品企画、販売、ア

フターフォローまで、一気通貫の総合プロデュースを行い、年商億越えショップをはじめ多くの成功事例を持っています。

■継続的に書くことが本の出版へと繋がる

　最初は、仕事の情報を発信するために、ブログをスタートさせたのが「書く」ことの始まりでした。手探り状態でしたが、ブログを継続的に書き、物販に関する読者さんにとって有益だと思われる情報を発信し続けました。書き続けていたことで、素敵なご縁や人脈が広がり、潮凪洋介先生と出会い、文章のご指導を頂く機会にも恵まれ、その出会いをきっかけに本を出版するに至りました。著書に「WEBショップで月5万円稼ぐ（自由国民社）」などがあります。

　今の仕事で起業する前、私はもともとは会社員でした。会社員を辞めて起業した当初、なかなか売り上げが思うように上がらなかった時、仕事も気持ちも不安定な時期もありました。そんな時は「自分を鍛えているとき」だと捉えて、目標をぶらさず、自分自身がコントロールできる、出来ることを淡々と続けていくことだと考えていました。
　書くことは、そのように長期的な視点で目標を達成するために、とても重要なことだと感じています。「飛び上がる前は"しゃがむ"のである！」と考え、地道にブログ発信を続けたことで、それがお客様に届き、仕事の安定にも繋がったと言えます。

■文化人としての実績と本のパワー

　本の出版をきっかけに、WEBマーケティングの専門家としてTV

に出たり、渋谷クロスFM「カッコイイ大人ラジオ」の主催兼MCを行ったり、文化人としての活動にも繋がりました。また、本は名刺代わりに出せるというメリットもあります。やはり信頼感も増しますし、何をやっている人なのかというのが一目瞭然です。

　とても嬉しかったのが、物販のセミナーを開催したときに、本を読んで知ったくださった読者の方がわざわざ会いにきてくださったことです。今まで会ったことがない方が、本を通じて繋がってくださることに、とても感動しました。また、書くことによって、自分自身の棚卸と整理もでき、自分のやってきたことやこれからの方向性が明確になりました。

■楽しく書き、仕事に繋げる

　これかからの仕事の展望ですが、更に世の中に役に立つ面白い商品を扱っているECサイトを立ち上げたり、成長させていくお手伝いをドンドンしていきたいと考えています。お客様や世の中にECを通じてワクワクを届けることで、世の中が明るくなると考えています。日本の商品を海外に販売していくことにも注力していきたいです。また著者としては、引き続き、ECや通販に関する本を出していきたいと考えています。

　自分自身、本業と違って、書くことはビジネスとは違った楽しみのような感覚もあります。書くことで、自分自身の考えを沢山の人が知ってくれたり、人と人とが繋がる大きなキッカケになったり、仕事も人生も前に進んでいくことを強く感じています。

コラムニスト
東 香名子

2000 年代、ネット上で友達と交流できる「mixi（ミクシィ）」やアメブロなどのサービスがスタートしました。趣味で書き込みをしたところ、友達が面白い！と喜んでくれたのをきっかけに、ライターになろうと決意。当初は「日常の通勤電車でどうやったら席を取れるか」といった日常ブログをアップしていました。

今では個人が情報発信することは当たり前の時代になっていますが、この頃はまだ珍しく、今思い返すとその時から書くことでセルフブランディングしていたのかもしれません。

大学院修了後は、外資系企業、編集プロダクション、女性サイト編集長を経てフリーになりました。鉄道、旅行、ライフスタイルのコラム執筆や文章テクニックを集めた著書「100 倍クリックされる超ウェブライティング（パルコ出版）」シリーズを出版。その他テレビ、ラジオなどの出演もしています。

■具体的に書くことが大切

ライティングの勉強を始めた時、とにかく具体的に書く！ということを意識しました。例えば、イタリアンレストランの記事を書く時、「イタリアンに行きました」では情報が不足しています。「昨日六本木の○○○○というイタリアンレストランに行きました」といったようにです。その結果、文章を読んだ方が頭の中でイメージ

を描きやすくなります。具体的に書くことは、読者の頭の中を整理してくれるのです。

　コラムニストになってから、メールを書くことも得意になり、仕事もスムーズに進むようになりました。メールも具体的に書くことで相手に伝わりやすいですし、丁寧な人だなという印象を持ってもらえます。やはり何でも「具体的に書く」ことが大切ですね。

■プロの書き手としての醍醐味

　今、ライターやコラムニストになりたいと思っている方は、とにかくブログや SNS といったセルフメディアで定期的、継続的に情報発信をしようと意気込んでいらっしゃるかと思います。もちろんとても重要なことで、書き始めないことには何も始まりません。セルフメディアで書き続けることで、プロのコラムニスト・ライターとしてウェブメディアで書くというチャンスが訪れます。そうなると、コラムニストとしての仕事が仕事を呼び、プロとしてメディアで書き続けることができるのです。

　コラムニストは人の目に触れる仕事なので、読んでくれた人の反応が素直に嬉しいものです。友達に「ヤフーサイトで面白い記事を見つけたよ！」と言われ、それが自分の記事だった時は「やった！」と密かにガッツポーズしています（笑）。

■理想のプロフィール作成を

　もし今、「何を書こう」「何を発信していこう」と悩んでいたら、まずは理想の自分のプロフィールを先に書いてみてください。そうすることで、理想の自分に近づけるようになりますし、誰に何を発

信するべきか明確になります。

　書く仕事というのは形になるので、後世にも残りやすく、自分の生きた証を残せる仕事です。理想のプロフィールをぜひ現実にしていただきたいと思います。

　今は自分で情報発信する時代ですから、私自身もこうしたメディア文化の下支えとなるようなライティング知識をこれからも広めていきたいです。

パレオダイエット研究家
熊谷ナオ

　私はいま、パレオダイエット研究家として活動しています。「パレオ」とは、「旧石器時代」という意味で、旧石器時代は200万年前、人類が誕生してから始まり、紀元前1万年まで続きました。

　日本では「米」がまだ存在しておらず、狩猟採集生活で、木の実をとったり、動物や魚をとったりして、食べていた時代です。この時代は栄養不足による飢餓もありましたが、今にみられる現代病や肥満は見られませんでした。

　パレオ料理、つまり旧石器時代の食事に戻すことで、心身の健康を取り戻すことができます。そして、パレオ料理と組み合わせが良いのが、「クロスフィット」と呼ばれるスポーツです。

　筋トレと有酸素運動を組み合わせた、ハードなエクササイズなのですが、毎日の生活で繰り返し行われる、実用的な運動を行うのが特徴です。この実用的運動とパレオ料理と組み合わせることで、本来の人間の姿に戻すことを目的に活動しています。

■書くことで人生は変わった！

　自身のホームページでブログ執筆からスタートして、情報サイト「All About」での連載、文化放送でのラジオ出演、民放テレビの出演、スポーツメーカーのアンバサダー、著書「パレオスナックダイエット」（CCC メディアハウス）「パレオダイエットレシピ」（マガジンランド）を商業出版するまでに至りました。実際に書くことで私の人生は大きく動き出しました。

　商業出版が決まり、実際に書店で本が並んでいるのを見た時、「夢が叶った！これから頑張ろう！」と、未来への展望をさらに高く描いたことを覚えています。また、出版の際のトークショーイベントで、父が応援に来てくれたのですが、大切な人に応援して貰える仕事の喜びを感じました。

　やはり自分の好きなことを突き詰めていくことは大事です。自分の好きなことを、信念を持って貫いていけば、必ず人生は開けます。

■書くことを毎日習慣づける

　ブログ、Web メディア連載、商業出版の書籍など、様々な書く活動をしてきましたが、書く習慣を維持するために「食事」「運動」「睡眠」の質を上げ、心と体を整えることが大切です。１日２４時間、３６５日、食事、運動、睡眠を良質にすることで、より良い文章を書くことができます。

　書いて発信できなくなる時は、この３つのどれかが乱れている時です。" 書けない、発信できない状態に陥らないこと " が大事で、書けなくなる前に事前予防しないといけません。

　書いて発信する直前に運動して、心が整った状態でパソコンに向

かう。書くということとは対象的ではありますが、できれば、エクササイズしてから書くことをおすすめします。

■書くことは好きで得意なことに絞る

　書くことでセルフブランディングをしようと思っている方にお伝えしたことがあります。それはテーマを「自分がやっていて楽しいこと、情熱を注げること」に絞るということです。私の場合は「パレオダイエット」が自分の強みを最も発揮できるテーマです。

　「得意だけど苦しいこと」これは結局強みにはなりません。大好きで仕方ない対象でなくてはなりません。書いて苦しいと続けられないので、時間がかかってもその愛情を注げることを見つけて欲しいと思います。

　自分の内面を知り、好きで得意なことを知る。楽しんで続けられたら、きっとうまくいきます。書くことでのセルフブランディングを心から応援しています。

---

melia closet 代表
コラムニスト / ライター / 研修講師
秋葉優美

　私は幼い頃から、国語・小論文が大の苦手でした。
　書く仕事をしている人は、小さい頃から書くことが大好きで、国語や小論文もいつも高得点というイメージを持っている方いると思います。もちろんそういう方もいらっしゃいますが、私は全く違いました。

それでも今こうやって書く仕事に携わっています。小学生の頃から国語が苦手な人でも、大学受験ではあえて小論文がないところを選んで受験をした人でも、コラムニストやライターになれるのです。

それは何故か？目的が異なるからです。国語では点数を取るために興味のない文章を読み、小論文では大学合格のための文章を書いていたかもしれません。でも、書く仕事に就くと、「自分の好きなテーマを書き」そして、「読者のために書く」に変わるのです。

それが「書くことが好き」に変わった要因です。

■書くことが集客と収益に繋がる

2014年に脱サラし、ファッションコーディネーターのお客様を集客するために、ブログで情報発信を始めました。書くことに苦手意識があったものの、テーマは自分の好きなこと。ライティングパターンをつかみ、読まれるタイトルを意識することで、ファンが増え、コンサルのお客様も増えていきました。

地道にブログを書き続け、コンサルで実績を積むことで、大手情報サイトで恋愛コラムニストとしてデビューを掴みました。

個人ブログでの情報発信ではなく、プロの書き手として大手情報サイトで記事執筆すること、これまでと一番大きく変わったのが「集客」です。書き手としてだけでなく、ファッション・恋愛のプロとして認知され、「集客」さらには「収益」へと繋がっていったのです。そうなるといつしか書くことへの苦手意識が消え、書くことが楽しいと思えるようにまでになりました。

■ライフスタイルの変化とスランプ、そして新たなるステージへ

　独立してから約１年後、結婚、出産し立場や状況が変わったことで、恋愛記事が全く書けなくなってしまうこということがありました。独身時代を思い出したり、人から話しを聞いたり、頭で想像しても書けない。やはりリアルに体験していることでないと、記事にリアル感が出ません。その結果、読者もつまらないと感じてしまうのです。

　そこで、もともと得意としていたファッションの知識を武器に、ママをターゲットとした情報サイトのライターオーディションを受け、合格し、現在はママ向けのファッションやコミュニケーション、起業などの記事を幅広く執筆しています。

　しかし、これも恋愛コラムニストとして「書き手のプロ」として実績があったからこそ、記事テーマを変えてもプロとして採用していただけたという結果だと思っています。

■「書き手のプロ」と「話し手のプロ」の両立

　プロのコラムニスト・ライターとして文章を書き続け、１年後には法人や企業の研修講師としても仕事が入るようになりました。

　ファッションや身だしなみについて情報発信とコンサルを続けていたことで、学生向けの就職セミナー、企業向けの新入社員研修での「身だしなみ研修」や「マナー研修」の講師依頼をいただくようになったのです。

　もともと大学で教育学を勉強していたこともあり、教育系企業や保育園、幼稚園、高等学校などでも研修をさせていただく機会も増えています。こうして、書き手だけでなく、話し手のプロとしても

実績を積んでいきました。

　今後も「書き手のプロ」と「話し手のプロ」を両立させながら、コラムニスト・ライター、そして研修講師の育成にも携わっていきたいと考えています。そして、私のように書くことが苦手と思っている人でも書く仕事に就ける！ということを、声を大にして伝えていきたいです。

恋愛コラムニスト
ちりゅうすずか

　2020年現在、恋愛ライターとして、WEBメディアにおける執筆活動歴は5年になります。

　また、恋愛コンサルタントとして「恋愛コーチング」のマンツーマンレッスンを実施したり、出版プランナー、ブックライターとして、出版企画書作成や本を出したい方のサポートをしたりしています。

■家庭環境が執筆テーマになる

　私は両親が不仲な家庭環境で育ちました。そのせいか、小さい頃から恋愛・パートナーシップに関心が強く、男女がうまくいく方法を研究していました。研究を重ねるうちに、文章を書くことにも興味を持ち、「書く」ことが好きになっていったのです。小学生の頃には、先生や友人に作文を褒められることも多く、漠然と書く仕事にも興味を持つようになりました。大学生時代には、出版社に恋愛メソッド企画を持ち込みに行ったこともあります。

家庭環境によって、「恋愛」「パートナーシップ」のテーマで「書く」ということを、自然と決めることができていたのかもしれません。30歳を過ぎてから音楽活動を始めたのですが、なかなか売れず、書く仕事で頑張ろうと決意し、その後、潮凪道場〜WRITAS！〜で学び、恋愛コラムニストとしてメジャーデビューを果たしました。

■仕事も人間関係も好転

書く仕事に就くまでは、既にライターやコラムニストをしている人が羨ましくてたまらない気持ちでした。憧れの職業が、自分の仕事となった時に一番感じたのは、当然のことかもしれませんが、普通の仕事と同じで納期や責任があり、思った以上に大変ということです。

でも1つ大きく変わったことがありました。それは、人間関係です。周囲にいる人がクリエイティブで向上心旺盛な人が多く、それが一番大きく得たものだと感じています。

「書いて発信する人」は、文章を通じて、読者の方に「ノウハウ」や「メソッド」を伝えます。つまり、相手目線、相手の立場に立って、物事を考えるようになるのです。職業柄か、周囲にいる書き手仲間も、相手のことを考える方が非常に多く、私にもその習慣がついたので、仕事環境も人間関係もとても良好になりました。

■文章が書けない時、まずは「デジタルデトックス」をする！

文章を書くのは大好きなのですが、文章が出てこない時もあります。そういう時は一度パソコンやインターネットから離れ、「デジタルデトックス」することをおすすめします。

文章は気分が乗っている状態で書くのが一番です。良い文章を書こうと情報をインターネットの世界で探すのではなく、リアルな世界で感性を研ぎ澄ますのです。スマホを持たずに散歩に出かけたり、大切な人と一緒に過ごしたりして、スマホをいじらない時間を作ると、気分がリフレッシュされます。その後で執筆を再開すると、良い表現が浮かんできます。

　どうしても疲れていて書けない時は、一度寝ます！　また、自分の好きなものを食べたり、音楽を聴いたり、アロマの香りを嗅いだり、五感をリフレッシュする習慣をつくるのが大事です。

■恋愛コラムニストから育成の仕事へ

　出版プランニングやブックライターの仕事をしていると、これらの仕事が著者だけで成り立っているわけではないということを強く感じます。
作品が世の中に出るには、出版社の方、編集や販売の方、様々な方たちの協力により、読者の方に文章が届くのです。今後は、出版プランニングの仕事を深めていくと共に、私のように出版プラニングやブックライターの仕事をしたい人の育成にも携わりたいと考えています。また、今後は恋愛・パートナーシップのテーマだけでなく、それらを通じて豊かに生きる方法を執筆したり、ジャーナリストとして活動したりなど、仕事の幅を広げていきたいです。

メンタル作家・エッセイスト
かがみ　やえこ

　私はいま、精神疾患があったり、人間関係や仕事で悩んでいたり、人生を生きづらいと感じている方向けの「メンタル・ステップアップ・スクール『希望』」という個人ブログを運営しています。

　私自身、いわゆる「毒親」に育てられ、母親による暴言、暴力に耐える日々を送っていました。学校ではいじめにあい、家にも学校にも居場所はありませんでした。そんな時に私を支えてくれたのが「本」です。小学生の頃、本を読んでいる時だけは心が安らかになれました。

　母親も文章が好きだったので、文章を書けるようになれば、お母さんから褒めてもらえるのではないかと思うようになりました。そのことがきっかけで、孤独の辛さから逃れるため、詩を書いたのが、書くことの始まりでした。

■シナリオライターとエッセイストの違い

　20代後半からテレビや映画の脚本家であるシナリオライターを目指していましたが、10年の節目と落選をきっかけに、別の道を模索し始めました。その後、潮凪道場〜 WRITAS !〜 に入塾し、エッセイに出会いました。

　シナリオライターとエッセイストは、同じ書く仕事でも表現方法が違います。前者は映像化されるための文章や表現であることに対し、後者はあくまでも活字で世界観を表現します。また、前者は物

語を書くことに対し、後者は事実とノウハウを書くのです。実際エッセイに出会い、活字の方が自分の世界観をそのまま読み取ってもらえると感じるようになりました。エッセイを書くという仕事に没頭し、2014年10月には電子書籍を出版するまでになったのです。

■書くことで自分の気持ちが整理できる

　私自身、エッセイを書くことで自分を見つめ直すことができました。人との距離感がわかるようになったり、人を嫌いになることが少なくなりました。書くことで自分の気持ちを文章で整理できるようになったのです。

　読者の方に向けて書くのはもちろんですが、それが自分のためにもなり、いつしか精神疾患も改善に向かっていきました。書く仕事に就いたことで、自分の心と人生がリセットされ、40歳以降「生きていて今が一番幸せ」と思えています。

　今何かに苦しみ、生きているのが辛いと思っている方がいらっしゃったら、「辛くてもいいよね」と自分を肯定してみてください。自分の気持ちに素直に向き合うことも時には大切です。

　また、体の五感を喜ばすことも1つの良い方法です。好きなものを食べ、匂いを感じ、触り心地の良いものに触れる。私は洗濯したシーツに触れて感じることで心が癒されることもあるので、ぜひ実践していただけたら嬉しいです。

■活字の良さを伝えていきたい

　YouTubeやTikTokなどが世の中に浸透し、活字離れが進んでいる今だからこそ、あえて動画配信サイトを使って、活字浸透プロジェ

クトを始動させたいと思っています。

　また、商業出版にこだわって、本屋さんに並ぶ紙の書籍も目指したいと思っています。メンタル・ステップアップの本を書き、人生を生きづらいと感じている方の緩和剤になれたら嬉しいです。

エッセイスト・Music セラピスト・
癒しの音楽家 (ヒーリング・ミュージシャン)
七夕女織

　私は、2003 年ニューヨークへ移住したのですが、めまぐるしい大都会で、自律神経失調症になってしまいました。

　そんな中、癒しの音や音楽、代替療法に助けられ、心を軽くすることができました。シチュエーション別にサウンドを選択し、聞き流すだけで、心身を整えることができたのです。そして、2017 年には、書籍『聞くだけで心が軽くなる「癒しの音」の楽しみ方（POD出版)』をリリースすることができました。

　現在は、サウンドヒーリングサービス、音楽ビデオ制作、オンライン講座 (セラピー系のダウンロード教材)、電子書籍出版の講師をしています。

■最初から「書く＝商品」と考えた

　もともとプロの作家になりたいと思っていたわけではなく、Amazon で電子書籍を出版できる時代背景があったため、せっかく書くならブログよりも Amazon のプラットフォームで商品化したいと考えていました。

2016年当時、わたしはブログもFacebookも投稿したことが無く、ましてやスマホさえ持っていませんでした。 一行も書いたことが無いまま、当時ネットを揺るがしたビデオローンチに興味を持ち、放送作家のビジネススター養成講座に参加しました。

　しかし、詳しい文章の書き方は教えてもらえず、結局何も書けなかった私は、あきらめずにライティングに関する資料を探していました。

　そしてニューヨークの日系書店 KINOKUNIYA BOOKS「人生は書くだけで動き出す（飛鳥新社 / 著：潮凪洋介）」に出会い、潮凪道場〜 WRITAS！〜の門を叩き、電子書籍をリリースするになりました。

■イメージの言語化はビジネスに活かせる

　自分の知識や得意なことは、書くことの武器になります。書いたものを切り取ったり、編集したりして、グラフィックのフレーズや動画の中の解説にも使用できます。 オリジナルコンテンツを言語化することは、他のビジネスにも活かせると思います。心の中や頭にあるイメージを言語化する練習は絶対に損はありません。

　書くことによって、メールだけでオーディションに受かったり、仕事で企画が通りやすくなったり、良い連鎖に繋がっています。書くことは、自分の思考の整理をしてくれるだけでなく、ビジネスにもプラスに繋がります。

■作品を作ることは " 生きている証 "

　今後は、文章に限らず、芸術性やクオリティの高い作品を残して

いきたいです。音楽でも、まだまだ創作したいものがありますし、本と音楽が連動した新しいジャンルのヒーリングサービスも実現していきたいです。

　私も一人の母でもあり、母親の役割をこなしながら、執筆活動や音楽活動をするのが大変でもありますが、やり甲斐でもあります。これからも世の中に作品をリリースし続け、生きている証を残していきたいです。

ライフシフトプランナー / 不妊カウンセラー
中村あや

　広告会社退職後、メンタルヘルスや生殖医療を学び 2012 年に不妊カウンセラーへと転身。生殖医療科・産科・小児科で勤務し、代替医療や予防に興味を持つようになりました。アロマ・ベビーマッサージ・ヨガ・タイ古式整体・心理学・コーチングを学び、個人活動をスタート。

　現在は、働く女性のウイメンズヘルスケアのサポート、メンタルコーチング支援、女性のライフスタイルに関連する商品やサービスの企画・マーケティングおよび PR などをしています。

■すべての女性の幸せのために

　アラサーまでの自分は手帳を持ち歩いては " なりたい自分 " " 運命を叶える！ " と日々張合いをもって生きていました。しかし、ある時「妊娠出産」に関しては自分自身でコントロールできるものではないと知りました。

命を宿すことは、運命でなく宿命です。それまでの人生で「命」や「性」ついて深く学ぶことがなく、「卵子が減る」という衝撃的な事実を知り、もっと早くからそういった情報が欲しかったと痛感しました。

　母・妻・女…女性はこうでなければいけないという呪縛が日本にはまだまだ残っています。周りと比較しては落ち込む女性が多いです。そんな女性たちに自分の実体験を通じて、どんな人生の選択肢を選んでも「今が幸せ」と思ってもらいたいと願い、「書く」ことを始めました。

　ブログ発信をはじめ、WEB メディアでの連載、そして書籍「働きたいけど産みたい　新しいキャリ女のルール（POD 出版）」を出版するに至りました。

　また、「書く」楽しさを伝えるために、お酒を飲みながら、楽しくライティングの勉強をしていただくことを目的に「ライティングBAR」といったセミナーなども開催しました。

■書くことで感情デトックスできる

　書くことは自分自身の棚卸しです。自分の人生や経験を振り返ることで、自分についてより理解できるようになります。自分の「トリセツ」を書いているような感覚ですね。また、日々、何かを発信しながら感情を書き出すことは心の安定となり、大きなセルフコーチングにもなります。

　不妊治療のカウンセリングやダイエットコーチとして活動をする中で、クライアントさんの悩みや不安を聞くことが多いのですが、つい感情移入してしまい、私も悩むことがありました。しかし、それもやはり書くことでマイナス感情が流れていくのです。書くこと

は私にとって、"感情デトックス"ですね。

また、自然の景色の変化などを感じること、そして栄養のある食事から栄養素を体に入れること、毎日のささやかな「ちょっといいこと」の積み重ねで肯定感をあげるようにしています。

■未来の子供たちにも心身のヘルスケアを

これからの時代、働き方改革も進み、ますます個人が自分で行動と選択をして、人生を生きなければいけないと思います。

だからこそ己を受け入れること、向き合い続ける習慣こそが重要です。なぜ生きるのだろう、なぜ働くのだろうということに向きあうことで、自分を信じるきっかけになると痛感しています。

セルフケア習慣は前に進む時のエンジンになり、健康や性に関する知識は、いざというとき武器や鎧になると思っています。心身のヘルスケアについて、働く女性だけでなく、未来の子供たちにも伝えていきたいです。

いかがでしたか？
多くの人が書くことで人生の扉を開きました。
次はあなたの番です。

〈メモ〉
ここに１行書くだけで人生は動き出します！

第1章

あなたの専門能力は
もっと評価されていい！

〜一億総"書いて発信"の時代が
やってきた！〜

1-1 " 個で生きる時代 " に生き残れるか？

　小さい頃、野球選手やアイドルやお笑い芸人に憧れた経験がありませんでしたか？個の才能を生かして活躍する人は、一昔前まで、すごく特別で遠い存在に見えたはずです。

　しかし、今は時代が180度変わってしまいました。「個」を生かさないと、むしろ、生き残れない時代になってしまったのです。終身雇用制の崩壊。コロナによる経済の大打撃。企業は従業員に、十分なお給料を払えなくなりました。相次ぐ倒産や吸収・合併。企業は、泣く泣く、リストラや残業代カットをすることで、なんとかしのいでいる状況です。

　2018年1月から、働き方改革により、副業・兼業が解禁されました。ソフトバンク、リクルート、サイボウズなど、大手企業ほど副業・兼業を推進しています。
　大手企業であっても、足りない自分の食い扶持は、自分で稼いで欲しいのです。それに加えて、社外でナレッジを習得し自社のプロジェクトに還元してもらいたいという意図もあります。
　ここで、人々の二極化が、じわじわ広がりつつあります。「もう会社に頼れない」──そんな時代の流れにうまく乗って生き残る人と、時代の流れに乗れず、取り残されてしまう人、

です。では、「会社に頼らず生き残れる人」とは、一体どんな人なのでしょうか。

　それは「個」の特技を生かしている人です。つまり、会社のブランドや肩書きがなくても、個人で「○○の専門家」という名刺を持っているような人のことです。その名刺を持って、転職をしたり、副業をしたり、起業したりしているのです。企業に在籍するとしても、その特技を生かして活躍します。副業からスタートし、個人事業として専門のサービスを提供する人もいます。

　多くの専門家は、「好き」や「特技」を追求することで、その道のプロになってゆきます。

　専門スキルを持ち、メディアに出たり、ウエブメディアで連載したり、本を出したり、講演したりして、自分のベンチマークを持ち、転職や独立に生かしている人が増えています。このような生き方こそが、会社に頼れない時代、「突き抜けることで生き残れる人達」なのです。

　さあ、あなたは何の専門家として、この厳しい時代の「生き残りレース」に参加しますか？

1-2　頭を下げて売れない人、尊敬されながら勝手に売れる人

　営業と呼ばれる職種においてもビジネススタイルは大きく

変化をとげています。

「これ、買ってもらえないと、部長に怒られちゃうんですよ。お客様だけが頼みの綱です。お願いしますよ……」

　かつてはこんな風に、必死で頭を下げ、時には泣き落としをしたりして、なりふり構わず営業する人がいました。

　ですが、今の時代、営業における「ゴリ押し」は、最も嫌われるパターンです。また、「数打てば当たる」の精神を持つ営業マンもいます。保険や投資の営業などで、訪問のアポを取るために電話を掛けまくり、一日中駆けずり回るような人です。

　しかし、コロナが発生し、「足で稼ぐ営業」は、軒並み風当たりが厳しくなりました。個人事業主でも、四方八方に頭を下げ、必死の営業をする人がいます。そのあげく、食いつなぐために安価な仕事を多数引き受け、過労死寸前まで疲弊するのです。

　でも、世の中にはその真逆をいく人がいます。何の営業もしていないのに、コロナ禍の中、商品やサービスが、バンバン売れている人です。驚くことに、そのような人は、顧客から "先生" と呼ばれながら、勝手に、商品やサービスが売れているのです。

　必死で頭を下げ、嫌われたあげく、売れない人。先生と呼ばれながら、勝手に売れていく人。両者の違いは、どこにあるのでしょうか。それは、突き抜けて注目される人なのか否か、というところにあります。

　では「突き抜けて注目される」にはどうしたらよいのでしょ

うか？それはズバリ「専門家として書いて発信すること」です。書いて発信している専門家になり、読者にとって知りたいことを教えてくれる「先生」になることで、その目標は叶います。

たとえば、ファイナンシャルプランナーの「節約術」やソムリエが書く「食事が何倍も美味しくなるワイン選びのコツ」などです。保険や投資の営業マンも、書いて発信していれば、自動的にお客がやってきます。「賢い保険選び」や「資産運用入門」といった、わかりやすい「お役立ちコラム」を書いて発信することで、その情報に救われた人から、「この人のサービスを受けたい！」とご指名が入るのです。

このような人たちは、尊敬される指導者として、高い値段で商品やサービスを提供できます。ネットで見つけてもらえて、尊敬されながら高値で売れる人。自尊心を捨て、売り込んで売り込んで、やっとお情けで少しばかり買ってもらえる人。リモート時代には、この両者の格差はますます広がってゆくはずです。あなたは、モノが売れないこの時代、どちらの生き方を選択しますか？

1-3　専門家の8割が埋もれている

インターネットが普及する前まで"専門家"といえば、医者・弁護士・会計士など難易度の高い国家資格を持つ人、大学教授・ラボの研究員など専門分野の権威がある人のことで

でした。しかし、いまや"専門家"の種類は数知れません。世の中が便利になるにつれて、新しいビジネス・商品・サービスが多数生まれ、そのサービスごとに"専門家"が必要になったからです。

　例えば、経営コンサルタント・証券アナリスト・プログラマー・パソコンインストラクター・語学講師・ダイエットコーチ・心理カウンセラー・ファッションコーディネイター・アロマセラピスト・旅行アドバイザー…など。また、AI導入・節約・節税・投資・FX・保険・ウェブ集客・ＤＩＹ・写真・片付け術・留学・婚活・恋愛・美容・ヨガ・占い・スピリチュアル…など、現代ならではの専門家がどんどん増えてきました。他にもまだまだあります。

　しかし、現状はどうでしょう？多くの専門家が世間に埋もれてしまっています。交流会で名刺交換をしても「誰だっけ？」と忘れられ、SNS広告も効果を発揮してくれません。では、「埋もれた専門家」から、「売れるカリスマの専門家」になるには、どうすれば良いのでしょうか？

　まずは、あなたの「強み」を「世の中に知られる」よう広めなければなりません。手段として「書いて発信」が大変効果的なのです。　まずはブログで「お役立ちコラム」を書くことから始め、ゆくゆくは「大手ウェブメディア」での連載を目指します。そこから、テレビ・雑誌などマスメディアに登場する人物になっていくのです。

　書いて発信すると、インターネットで悩みを検索した人が、あなたの「お役立ちコラム」にたどりつきます。それを読ん

だ読者は、あなたに恩義を感じ信頼を深めるのです。

　そして――

「この人のサービスを利用したい！」

「この人から商品を買いたい！」

となるのです。

　書いて発信した記事はあなたの分身です。24時間無償で悩み解決し、前に進むための行動に導いてくれる"先生"でもあります。さらにこの分身先生は、あなたにとって24時間集客してくれる営業マンでもあるのです。

　もしあなたが、埋もれた専門家ならば、今すぐ書いて発信しましょう！それが"売れる専門家"になる第一歩となるのです。

1-4　なぜブログを書いても顧客が増えないのか？

最近は、自分のビジネスを認知するためにブログ・SNSから発信することがあたり前の時代になりました。しかし、

「ブログを始めたのにアクセスが全然増えない……売上も上がらないし、知名度も上がらない……。」

　そんな悩みを持つ専門家やビジネスマンの方が大勢います。せっかく書いて発信しても、反響がないと書くこと自体をやめてしまいたくなります。反響がある人、ない人の違いは一体どこにあるのでしょうか？

　その理由を5つご紹介します。

１：顧客ニーズがないところにニーズがないテーマで書いている。

　例えば「マズ飯レシピ」ブログ。YouTube なら「実験動画」としてウケますが「マズ飯レピシを知りたい！」とネット検索する人は少数派でしょう。人気専門家は、読者に求められているテーマについてを書いています。

２：ニーズがあってもナンバーワンではない。

　人気ジャンルには同業者が多数います。人気専門家は " 自分が誰よりも輝けるフィールド " 埋もれない専門テーマを選んでいます。

３：ニュース性がない。

　たとえ役立つ内容でも、使い古し情報では注目されずニュース性もありません。人気専門家は、新発見・新事実・オリジナルノウハウなど、常に真新しい情報を取り入れています。すると「いいね」や「シェア」が増え、各メディアが「面白い！」と注目。取材依頼などを受け、知名度をあげる強い味方となるのです。

４：心に刺さらない・学びにならない・役に立たない文章を書いている。

雑記などは、有名人でもないかぎり興味をもたれません。人気専門家は、悩みの解決法や役に立つノウハウなど、読者の心を動かす文章を書いています。

5：メガメディア連載のレバレッジを活用していない。

レバレッジとは「少ない労力で大きな効果を得る」という意味です。ブログの更新だけでは、アクセス数獲得までに、労力と時間がかかってしまいますが、企業が運営する"ウェブメディア"で連載をすることで、ブログの100倍以上の読者に読んでもらえます。このレバレッジ効果により、連鎖的にブログのPVも上げながら、権威も身につけセルフブランディングができるのです。

以上が、人気専門家と埋没専門家の5つの違いです。実は、人気専門家になるには「専門家ライター・コラムニストとして世に出る！」という覚悟が必要です。"文化人"になるスイッチを入れ「文章で人を幸せにする！」というミッションを掲げましょう。あなたの知名度・収入・充実度が、格段にあがってゆきます。

〈メモ〉
ここに 1 行書くだけで人生は " もっと " 動き出します

第2章

オンリーワン成功者は
皆、書いて発信していた！

~書いて発信することの
メリットを理解する~

2-1　0円で始められる自分ブランディング

　「セルフブランディング」という言葉が日本で使われ出したのは、2010年頃です。個人がSNSで発信するようになり、フリーランスや起業家などが「同業のほかの人と差別化するために自分の魅力や強みを明確に打ち出すこと」という意味で使われ始めました。

　「セルフブランディング」というと、お金がかかるイメージを持つ人もいるかもしれません。

　ビジネスを行う上の「イメージ戦略ツール」として認知されている部分もあり、ブランド物の服や、オシャレなインテリアなど、優雅なライフスタイルで自分を演出する印象があるためです。

　実は「書いて発信する」ことも、ブランディングの1つだとご存じでしょうか？しかも、パソコンかスマホさえあれば、ゼロ円で始められます。ウェブメディアで連載をすれば原稿料も貰えます。書けば書くほど、検索にもヒットしやすく読者も増えてゆきます。読者は、そのまま顧客候補となり、メディアへの露出が増え認知度もあがります。

　「複利効果」でファンや顧客候補が増えていくのです。

　「書いて発信」することは、誰でも始められますが、1つ重要ポイントがあります。それは、毎日コツコツやった人が

勝つということです。

たとえば、無料の媒体でブログを毎日書き、年間 3000 万円以上稼ぐ主婦もいます。

アフィリエイトビジネスではありません。自分の専門分野である「ブログ集客」と「講座の販売」の手法を、わかりやすい文章にしてブログで発信し、セオリーを学びたい人に向けて講習会を開いたりしています。

ここで一つ大切なことがあります。それは、他の人と、圧倒的に「差別化する」ということです。「書いて発信」といっても、日常の雑記を書けばいいわけではありません。あなただけの " 強み " で、同業と圧倒的に「差別化」して発信する必要があります。

差別化するにはまず「肩書き」です。あなたは「何屋さん」でしょうか？ここを明確にすることが重要です。そしてプロフィール。これまでの実績をぜひ明記してください。実績がない方は、読者にどのような未来を掴んで欲しいのか」などを書くとよいでしょう。

「あなたから買いたい」と思わせる圧倒的な強み、特徴、他社サービスとの違い。それらを際立たせ、あなたの世界観を確立するのです。それが、「書いて発信」するという、ゼロ円でできるセルフブランディングです。

コラム記事の執筆の書き方については後ほど、詳しく説明しますが、あなただけの独自のセオリーをテーマにします。そして、自分が読者になったような気持ちで、初心者に分か

りやすいようにかみ砕いて書いていくのです。あなたの世界観を、1つの記事に魂を込めて出し切りましょう。

　まずは、「自分の強みは何なのか？」過去の体験や興味の棚卸しをしてみてください。あなたが一番熱くなれることこそ、最強の執筆テーマなのです。

2-2 書くことで「得意分野」が「専門分野」になる

「山田さんは本当に洋酒にお詳しいんですね。
博士ですね！」
「いやー、それほどでもないですよ。初心者に毛が生えたようなものです……」

　得意なことを褒められたときには、この山田さんのように、つい謙遜して、「そんなことないですよ！」と返答してしまうものです。

　しかし、ほんの少しでも「人より得意になった分野」は、れっきとした「専門分野」になります。"専門家"として「突き抜けた特別な人」になることができるのです。

　そのためにも「書いて発信」することをぜひおすすめします。実際、世間で活躍している専門家は、ブログ・ウェブサイト・SNSなどで"お役立ち情報"を発信している人がほとんどです。彼らの多くは、最初から活躍していた人とは限りません。少しずつ「書いて発信」をすることで、活躍する人

に成長していった人などもいます。

　専門家として人にアドバイスをするなら、体験や知識を整理しておかなければなりません。この整理に、文章を書くことは非常に効果的です。　しかも、書いていると「ここの専門性が不足しているな」と感じる部分が出てきます。好きな分野ですから、当然もっと深く知りたくなる。そこで積極的に調べたり、新たな行動を取ったりと " 研究 " をすることになります。

　このように、好きなこと得意なことを書いて発信していくと、さらなる深い知識を得るための行動習慣が、自然と身につくようになります。そして、いつのまにか「得意分野」が「専門分野」となっているのです。

　今は、「その世界にちょっと詳しいぐらい」と感じているかもしれません。でも、初心者向けにノウハウを発信しているうちに、どんどんその分野の知見が深まってゆき、いつのまにか、読者から見て、「専門家」になってゆくのです。１年くらい続ければ、誰でも専門家になることが可能です。

　そしてその道の初心者にこそある特権がありますね。

　いま「自分はまだ経験が浅いな」と感じている人ほど、初心者の気持ちが分かります。初心者に向けて、「誰よりもわかりやすく説明できる専門家」という差別化ができるのです。

　あなたにも、好きで続けてきたことや、もっと極めたい！と思っていることがあるはずです。いますぐそれらを「書いて発信」し、専門家としての道を歩み始めましょう。

2-3　オンリーワンの地位は書くことで築ける

　「世界に一つだけの花」は 2000 年代の大ヒット曲です。
実は、書いて発信することで、あなたも「世界に 1 つだけの
花」を咲かせることができます。それはなぜでしょうか？そ
れはアインシュタインの「相対性理論」のように、オリジナ
ルのセオリーを、独自に名付けて提唱できるからです。

　あなたも、一度はどこかで、次のようなセオリーを聞いた
ことがあるのではないでしょうか。「こんまり流」片付け術。
ドラッガーの「マネジメント論」。これらのセオリーは、書
籍化され、ベストセラーとなり、すでに不動の地位を築いて
います。

　「書いて発信」することで、あなたもここに並ぶような、
オリジナルセオリーの提唱者になることができます。

　どんな偉大な発明品も、ゼロからいきなり誕生したわけで
はありません。既存の技術を組み合わせを試行錯誤している
うちに、新しい方法が発見されるのです。あなたが好きで得
意なことも、既存のノウハウを掛け合わせ、切り口や視点を
変えることで、オリジナルセオリーが確立されてゆきます。

　" セオリーの名前 " は、簡単で覚えやすいものがおすすめ
です。ゴロやリズムが良く、ジャンルがすぐイメージできる
言葉を選びましょう。すると「ああ！○○の法則の○○さ
ん⁉」と覚えてもらえます。

こうして「セオリーの提唱者」になることで、独自のポジションを作ることができるのです。セオリー名は、必ずあなたのプロフィールに載せ、名刺にも書きましょう。肩書もまたオリジナルで作ることができるのです。既存の肩書の組み合わせでも、何屋さんなのかズバリ名乗るのも良いでしょう。セオリーをつくるための方法は、5章でさらに詳細に説明いたします。

2-4 経営者はなぜみな 「著書を出したい」と考えるのか？

コロナの影響による経営破綻が急増し、現在各業界で、さまざまな「生き残り戦術」が模索されています。

会社の経営者が、「書いて発信」しているかどうかも、企業の存亡を分ける重要なファクターになるといっても過言ではありません。

実際、経営者の多くは、「本を出したい」と考えます。著者のもとにも、多くの経営者から、出版プロデュースの依頼がきます。ここに、経営者が「本を出したい」と考える理由が3つあります。

（1）間接的に自社商品・サービスの宣伝になる。

書籍は広告媒体ではないので、あからさまな自社製品・サービスのＰＲは書けません。

しかし、著書で会社のパーパス（存在意義）や経営ノウハウを読者に伝えることができます。これにより、企業の認知度が高まります。また、イメージアップにもなり、会社のファンが増え、間接的に商品やサービスが売れるのです。

（2）信用にレバレッジがかかる。

社長が本を出すことで、TV・新聞・雑誌などのマスメディアの取材や露出の機会が増えます。

すると、会社・社長の信用度が上がり、出版1つで「BtoBによる億単位の取引も発生するのです。

（3）優秀な人材の確保につながる。

生き残り競争が激しい現在、どの会社も優秀な人材の確保が必須課題です。今は、お給料の額ではなく「会社・社長の理念・信念」に共感したときに「この会社で働いてみたい！」と思う人が増えています。

書籍で経営理念を伝えることは、数千人、1万人単位の読者に、目の前で「企業説明会」をおこなうのと同じ効果があります。その結果、優秀な人材の確保につながるのです。

以上が、経営者が「本を出したい」と考える理由です。とはいっても、出版は難易度が高いもの。まずはウェブ上で「書

いて発信」することで、ブランディングしてゆきましょう。

　今は検索して問題を解決する時代です。読者は、表示された記事を貪るように読みます。そして、問題が解決すれば、その筆者に感謝します。その繰り返しで、書き手のファンになるのです。

　ブログから始めて、ウェブメディア連載のオーディションに応募。連載が決まれば、数十人だった読者が数千数万人となり、大勢のファンを獲得できます。拡散しやすいSNS上でも「いいね」や「シェア」が増え、顧客も増えます。

　そんな実績があることで、出版企画も出版社に採用されやすくなるのです。すでにウェブ上でファンの多い著者は本が売れやすいという強みもあります。経営者にとって、「書いて発信」することは、この先の倒産を回避する一つの突破口にもなるのです。

2-5　パソコン一つで「ワーケーション」を実現

　本書でお伝えしている「書いて発信」するワークは、地球上どこにいても、ネット環境さえあればできます。

　2020年現在、コロナ渦により「ワーケーション」という働き方が生まれています。「ワーク（仕事）」と「バケーション（好きな場所で楽しむ）」をかけ合わせた造語で、「好きな場所で好きなことを楽しみながら仕事を進める」働き方のことです。

コロナ渦で増えた在宅ワークも有益ですが、組織に捉われない「ワーケーション」はその先をいく働き方といえるでしょう。

　著者も家族との旅行の最中、朝日を浴びながら原稿を書き、稼ぎながら家族時間を楽しんだ経験があります。また日常でも、リゾート巡りをしながら、海辺を旅しながら、時にはマリーナで風を感じながら書いています。その方が、感性が鋭くなり、良い原稿が書けるのです。

　「書いて発信」することは、オフィスや店舗のように、決まった時間に決まった場所へ通う必要がありません。パソコンやスマホの向こう側にいる人に向けて、どこからでも発信できるのです。

　記事を発信した後には、ライン@やメルマガに登録してもらいます。

　その後、読者にイベントの告知や講座情報の発信や、あるいは商品・サービスの販売をおこない収益につなげます。これはもちろんワーケーション中にでも可能です。

　あるいは、好きな場所で、「リモート・コンサルティング」を実施することもできます。

　読者に向けて、オンラインで動画の配信をすることも可能です。もちろんZoomを使って、ビジネスミーティングもできます。ストレスを発散し、リフレッシュしながら感性を研ぎ澄まし、上質なアウトプットをおこない、自分の市場価値

をさらに高めることができるのです。

　「書いて発信」することから収益化を実現させ、ビジネスを確立させたり、出版して印税収入が得られるようになれば、さらに、いろいろな場所に出かけられるようになります。

　好きなことを仕事にして、美しい場所で大切な人や家族、仲間と一緒に過ごし、遊びと仕事の境界線がわからなくなるほど、楽しんで夢中に働く――

　書いて発信することは、そんな憧れのライフスタイルへの第一歩と言えるのです。

〈メモ〉
思いついたら " 即メモ " しましょう

第3章

何のために書くのか？
「ゴール設定」の大切さ

〜書くことで専門家として
" 突き抜ける " ための考え方〜

3-1 会う前から「相手はあなたを信頼している」

　マイナビの調査によると、仕事における初対面やプレゼンの際、「緊張する」と回答した人は85%だそうです。でも、「書いて発信」している人は、初対面の緊張を、大幅に軽減することができます。まだ会っていないのに、すでに「話した」のと同じ状態で商談する機会が多いからです。

　「書いて発信」することで収益を生むためには、ブログやウェブ連載記事を読んだ読者を、ＬＩＮＥ＠やメルマガに登録してもらうよう、うながす必要があります。そこで初回お試しコンサルや、講座、イベント情報などを配信します。すると、何人かが実際に申し込んでくれるのです。

　その場合、初対面なのに、相手があなたのことを熟知した状態で「はじめまして」の顔合わせをすることになります。あなたは相手を知らないかもしれません。でも、相手はあなたを知っているのです。その流れをさらに詳しく書くとこうなります。

【1】ブログやウェブメディアで「書いて発信」する。
【2】読者をＬＩＮＥ＠やメルマガに登録にうながす。
【3】発信内容に興味がある人、発信者を信頼している人が登録する。

【４】LINE＠やメルマガで、初回お試しコンサル・講座・イベント情報などを配信。

【５】申込者は、発信＆配信内容・サービス・商品・学びに興味があり、悩みを解決したい・もっと向上したい・もっと良くなりたいと感じている。

【６】発信者を信頼しながら申し込む。

　このように、申込者は「発信者」と「サービス内容」を熟知した状態で会いに来ます。

　あなたの発信やサービスに興味のある人は、あなたを信頼し、尊敬の念を抱き、学ぼうという意識でコンタクトをとってくるのです。

　人間が緊張する背景として、「相手にどう思われるか不安」という心理があります。しかし、相手は最初から、あなたに好印象を抱いています。そのため、間違いなく、好意的に接してくれます。そのことを知っているだけでも、あなたの緊張は大幅にやわらぐはずです。

　つまり、営業マンが名刺交換して、１時間話したのと同じ環境が、最初から用意されている、と言っても過言ではなく、信頼してもらうための時間や労力は、不要ということです。また、プロフィールに記載していることや、ビジネスノウハウも、相手は予習済みなのです。

　あなたのセオリーやメソッドを活用するための、次のステップからの話をすればよく、話がトントン拍子で進みます。

B to B取引の際も、先方が先にあなたの考えやセオリーを調べてくれます。話を進めやすく、時間も労力も節約しながら、商談ができるのです。

　そんな相手が、24時間、365日、全国、全世界に増え続ける——それが書いて発信することの「魔力」です。最小の労力で、新規取引をする、生徒さんになってもらう、コンサルティングサービスのクライアントになってもらうことができるのです。

3-2　あなたも「東京スカイツリー」になれる

　世界で一番高い電波塔、それは東京スカイツリーです。東京スカイツリーがオープンした翌年の2013年5月、「スカイツリータウン」の来場者数は、たった1年で5000万人を達成しました。そして、4年後の2017年10月には、なんと2億人を達成したのです。日本国民全員が、この「スカイツリータウン」に、1度あるいは2度、訪れていることになります。スカイツリーは、離れている場所からでも、飛行機からでも、東京にいればどこからも見えます。

　書いて発信するということは、この東京スカイツリーのように、どこからでも目立って見える状態をつくるのと同じ効果があります。

　つまり、その他大勢の似たような建物ではなく、あなたの専門分野で、一番目立つ存在になるということです。

　なにごともまずは目立たなければ、見つけてもらえません。目立つことで初めて、お客さんに存在を知ってもらうことができ、興味を持たれ、ファンになってもらえるのです。

　そのためには、強い「個性」を出すことが必要です。まずは、世界一の個性が出せるように、アイデアをひねり出してみましょう。コツはジャンルを「狭くしぼる」ことです。

　たとえば、恋愛コラムを書いて婚活サービスの集客をしたいなら、ただ漠然と恋愛や婚活全般を扱うのでは、「スカイツリー」にはなれません。

　どんな婚活法なのか？その個性を突き詰める必要があります。

　たとえば、「バツイチ×子連れ結婚の専門ノウハウ」にする、「LGBT専門」にする。「女性からプロポーズする婚活法」にする、「20歳以上の"年の差婚専門"」にする……などです。このように、読んだ人が、「自分のためにあるコンテンツだ！」と膝を叩いてくれるような、ジャンル絞りをします。

　ある分野で一番になれば、どこからも目立つスカイツリーになれます。実は、スカイツリーだって、エベレストには負けています。「地上にあるものすべて」という広範囲のジャンルでは、1位にはなれません。「電波塔」あるいは「日本の建物」というジャンルだからこそ、一位になれたのです。

　特定のジャンルの「スカイツリー」になることで、あなただけの「スカイツリータウン」にたくさんのファンを呼び込むことができます。あなたが「東京スカイツリーになれる分

野」は何でしょう？

3-3 「講演をしたい！」は 「書いて発信」で叶えられる

「熱い思いを伝えたい！」

「大勢の人に影響を与えたい！」

　そんな動機で「講演をしたい！」と思う人が大勢います。しかし講演主催者としては、あなたとの存在と、専門を理解しなくては依頼することができません。ここで「講演を依頼しよう」と思ってもらうための、重要なポイントを３つご紹介します。

　まずは今の時代に求められ、多くのニーズがあり、悩みの谷が深いテーマを扱っていること。そして、その専門家の「人となり」がわかり、切り口がおもしろいこと。そのようなことが伝わって、初めて、「この人に講演を依頼しよう」と思ってもらえるのです。

　これら、講演依頼獲得に有利になる情報のすべてを伝える方法が、「書いて発信」することなのです。実際、ウェブメディアや本などで、「書いて発信」する能力と、講演に必要な能力は、ほぼ共通しています。ウェブメディア連載ができるということ、あるいは出版企画が採用されるということは、市場ニーズがあるか、セオリーがわかりやすいか、その道の専門家であると認められているか、ファンを掴めそうか……といった判断が伴います。「書いて発信」することによって、

講演の依頼を受けるための権威を獲得することもできます。有名サイトで、たくさんの記事を連載していることは、大きなステータスなのです。この権威があることで、講演の依頼を得やすくなります。

　講演の仕事を得るために、講演斡旋のサイトに登録するという手法がありますが、ここには、必ず「どのようなメディアで連載をしているか」などを記載する欄があります。そこに「有名メディアの名前を書けるか」どうかが重要となります。

　講演の依頼者は、サイトでの連載記事をしっかり読んで、確認をします。講演依頼が舞い込む人になるには、まずはブログなどで「書いて発信」し、20 ～ 30 本書いたら、次に有名メディアの連載に挑戦し権威を得るとよいでしょう。そう遠くない未来で、あなたの熱演を、輝く瞳で観て聴いてくれるファンと出会えるはずです。

3-4 「メディア取材を呼びたい！」は書くことでうまくいく

　世の中には、2 種類の専門家がいます。1 人は「メディア露出が多い人」で、もう 1 人は「メディアに気づかれない人」です。テレビ・雑誌・新聞・ウェブメディア・ラジオ・書籍など、マスメディアでよく目にする人の多くは「書いて発信」しています。「書いて発信」しているからこそ、活動内容がメディアに伝わり、取材や出演依頼がやってくるのです。

「書いて発信」していない人は、メディアに見つけてもらうことが容易ではありません。かといって、人と同じことを書いていても「その他大勢」の中に埋もれてしまいます。その他大勢に埋もれないためには、何度も言いますが「個性的で特徴的なメソッド」を開発する必要があります。「個性的で特徴的なメソッド」とは——

・「え？　なにこれ！」と思わせる新規性
・「これはためになるね！」といったご利益

　この2つを満たしている「オリジナルの方法」です。
　この2つを満たすオリジナルのメソッド名を開発し、自分のブログで発信するだけでなく、大手ウェブメディアでの連載を勝ち取ることが、テレビや新聞、雑誌などに注目され、取材される近道と言えます。
　特に、新聞、雑誌、テレビ、ラジオなどの記者、編集者、制作者は、各社常に面白いニュースをインターネットで検索し、必死で探しています。
　以前、「180日で電撃結婚する法則」を教えるセミナーを開催していたのですが、これには様々なメディアがこぞって取材を申し込んできました。「何これ？」と思わせる新規性「これはためになるね」のご利益にメディアが興味を持ってくれたのです。
　「プレスリリース配信」という方法もあります。プレスリリースとは各社メディアに向けて取材してほしい内容を記載

して送付する手紙です。最近では数万円で数千人のメディア編集者、記者に一斉にニュースリリースを配信してくれるサービスもあります。

その場合も、その商品やサービスに、どんな社会的価値があるか、を説明できなければ、記者にニュースバリューを感じてもらえません。

しかし、普段から、「書いて発信」する習慣をつけることで、自分の専門分野や、それにともなう商品・サービスが、どのように人の目を引き、役に立つかを、うまく伝えるスキルが上達していきます。

「書いて発信する」ことで、「自分の頭の中」と「社会」をつなぎ、さらに世の中に認知されることにつながるのです。

3-5 老後2000万円を「好き×得意」の発信で稼ぐ

イギリスの医学誌に掲載されたデータによれば、55歳で退職した人は65歳で退職した人よりも、早死にのリスクが37％上がるそうです。

定年退職後に仕事をせず頭をつかわないでいると、認知症のリスクが上がるのだそうです。認知症を発症したあとの平均余命は「5年」と言われています。

また、年金以外に収入がなく、懐が寂しいと、医療費の「出し惜しみ」をするようになります。これは病気を治せない生活を選ぶということを意味します。

さらには、やることがないことで、心の拠り所や生きがいを失ってしまい、ウツ病を発症する人もいます。

　さらには、2019年6月に発表された金融庁報告書に基づく、「年金2000万円問題」があります。

　夫65歳以上、妻60歳以上のリタイヤ後、あと30年生きるとしたら夫婦で毎月5万5000円ずつ足りなくなり、それが積もると2000万円足りない、という計算になるそうです。2000万円の貯蓄がない人は、もちろん、稼ぎ続けなければならない、という現実があります。

　このようなことから結局、多くの人にとって、働き続けることが最善の選択となるのです。しかし、これまで働いた会社の「再雇用制度」を利用しても、収入が下がることがほとんどです。ベテランなのにそのような待遇を受けるのは、本心では納得できないはずです。

　このとき、自分のキャリアを生かす以外にも、これまでやりたくてもやれてこなかったことに、思い切って方向転換したい、と考える人もいます。

　もし、そうであるならば、断然。30代40代50代のうちから「自分の好きで得意な分野の専門家」になっておくのがおすすめです。

　今すぐに、自分の好きなこと、やりたいことの「棚卸し」を始め、3年から5年かけて、その道の専門家になればいいのです。本書で何度もお伝えしているとおり、「書いて発信」することを続けていくことで、専門家になることができ、それで収入を得ることが可能となります。

　読者の相談に乗ったり、コンサルをしたり、オンライン講座をしたり、学びの機会を提供したりすることで、その道の入門者を育てる指導者になるのです。

　自分が育てた専門家を派遣する人材紹介業も視野に入れていいでしょう。

　「書いて発信」することは、イキイキしたシニアライフが保証されるということも意味しています。

　好きなことや得意なことを自分軸で発信し、尊敬されながら仕事をするのと、とりあえず、雇用してくれたところで、自分を殺して働くのと、どっちがワクワクするでしょう。

　どうするかはまさにあなた次第なのです。

〈メモ〉
" 衝動 " を文字にしてみましょう

第4章

絶対突き抜ける「執筆テーマ」の決め方 —執筆はテーマが10割

～執筆テーマ、タイトル、
サブタイトル、リードをつくる
実践ワーク～

4-1　特技は足元に眠っている

「あなたの特技は何ですか？」

　こう聞かれると、ちょっと身構えてしまう人もいます。「特技なんてないな……」と困ったり、「就職のエントリーシート」をイメージして、真面目なことを言わなくてはいけない気持ちになったり。でも先述のように、あなたが人より少しうまくできることは、積極的に「〇〇研究家」「〇〇専門家」と名乗ってよいのです。

　ただし、ひとつだけ条件があります。

　それは、「困っている人が多いテーマ」であることです。困っている人が多ければ、ニーズが大きくなります。反対に、困っている人が少なければ、当然読者だって少なくなります。

　書いて発信し、読者やファンを増やし、自分の価値を高めていくために、テーマ決めはとても大切です。実際に、執筆テーマを決めていくには、あなたの足元を掘り起こしていく作業が必要です。

　しかし、ここで大切なことがあります。それは、いくらニーズがあっても、あなた自身が興味を持てず、経験も知識もないものをテーマにするわけにはいかないということです。まずは──「過去の人生」で熱量が高かったものや、時間をついやしたものの中からテーマを選ぶのが正解です。

　そこで──

（1）経験してきた仕事
（2）経験してきた趣味・社外でのライフワーク
　これらを紙に書き出してみてください。

　これらの中に、あなたにぴったりの執筆テーマが埋まっているはずです。

　総合情報サイト「オールアバウト」などにアクセスし、自分がどの分野の専門家として書いて発信できるかについて、そのカテゴリーを想像する作業も役に立つはずです。
　サイト内にある「カテゴリー」は、多くの人が求めているジャンルです。先程、ご自身が書き出した経験・好き・得意といった「特技」は、どこのカテゴリーにあてはまるでしょうか？もし当てはまる特技があれば、それは「ニーズがあるジャンル」と判断できます。あなたの「執筆テーマ」と言っても良いでしょう。
　基本のテーマが決まったら、次に、その他の複数の「興味・特技」を掛け合わせ、オリジナリティーを膨らませていきます。例えば、「ファッション」をテーマに選んだとします。さらに「アウトドア」も好きであれば、天気・気温・湿度・風速・日照・紫外線など、あらゆる気候条件下で、快適かつオシャレに着こなすアウトドアファッションの専門家が誕生します。「オールウェザーアウトドアファッション・コンサルタント」です。
　「小顔ヘアスタイル研究家」や「英語脳育成スペシャリスト」

なども、「ニーズ×オリジナル」の専門家といえます。

このように、同カテゴリーであっても「こだわりポイント」は一人一人違うものです。あなたの足元に眠っている「世界に１つしかない専門」をぜひ掘り起こしてみましょう。

4-2　ライティングは「タイトル」が９割

文章を書いて発信するにあたって一番重要なのは「執筆テーマタイトル」です。「何について書かれているのか」がハッキリと１秒でわかることがとても大切です。

たとえば、あなたが本屋に行ったとします。小説やマンガ、雑誌などの場合は、ジャケ買いもあるかもしれません。しかし、実用書やビジネス書のコーナーでその本を手に取るかどうかを決めるのは、おそらく一瞬です。タイトルを見て、「自分の役に立ちそう！」と瞬間的に判断して貰う必要があります。

知りたいことがあってネット検索している人も同じです。表示された数あるタイトルの中から「自分の役に立ちそう！」と思うものだけを、クリックします。逆に自分にとって「役に立たない」と判断されたものは、中身がどんなに役立つ記事でも、永遠にクリックされることはありません。悲しいですがこれが現実です。では、どんなタイトルをつければ、読者から選んでもらえるのでしょうか？次に、いくつか例を挙げてみたいと思います。

・サラリーマン大家さんになる方法
・120日で電撃結婚する方法教えます
・運動しないで10キロ痩せる魔法のレシピ
・会社にバレずに副業で月30万円稼ぐ方法
・資本金30万円で儲かる！最強ビジネスモデルの教科書
・誰でもできる！ハンドメイド・アクサセサリー入門

　このように、「ご利益」がハッキリ書かれ、ゴールが明確にイメージできるタイトルにする必要があります。
　タイトルはハッキリと「○○をして○○になる」と書くのが基本です。たとえば、こんなタイトルは抽象的すぎて、読者にメリットが伝わりません。

・美しくなる方法教えます
　→どこが、どんなふうに美しくなるかわからない

・幸せな生活入門
　→同じく、どんなふうに幸せになるか不明であり、
　　幸せの定義もあやふや

・自立して生きる方法
　→何をもって自立と捉えるかわからない

上記の例は、読むご利益があやふやで、読んだ後のゴール

がイメージできません。読者に「自分のための記事・コラムだ！」と判断してもらうためには、「何について書かれていて、何の役に立つのか」が、1秒でハッキリ分かること。読んだ後「どんな良い未来が待っているのか」が想像できること。ここが「読まれるかスルーされるか」の最大の分かれ道となるのです。

4-3　「書きたいことを書く人」vs 「求められていることを書く人」

「ブログを書いているけれど、誰からも読んでもらえない……」

そんなお悩みを持つ人は、ひょっとしたら、自分の「書きたいこと」しか書いていない可能性があります。あるいは、逆に読まれることを意識しすぎて、無理して「好きではないテーマ」を書いているケースもあります。

一流の専門家ライターや専門家コラムニスト、あるいは、本の著者の中でも、実用書やビジネス書を書く人には2種類の人がいます。1人は「自分が書きたいこと」を書いている、という人。もう1人が「読者が読みたいこと」を書いている人です。専門のノウハウを「書いて発信」するプロは、自分の書きたいことと、読者に求められていることが一致しているのです。まず「自分が書きたいことを書く」ことについては、こんなメリットを感じています。

1） 書いていて楽しいので、リズムの良い臨場感のあふれる文章が書ける。

2） モチベーションが維持できる。

3） 自己実現ができて幸せである。

　また、「読者が読みたいことを書く」ことについても、次のようなメリットを感じています。

1） 読者が増えることで、知名度、影響力、原稿料が上がる。

2） メルマガ、LINE@ などの登録が得られ、売上が増大する。

3） 世の中のニーズに沿うことで、社会貢献欲求が満たせる。

　このように、「書いて発信」する専門家は、読者目線で好きなことを書きながら、自分の人生を豊かにするという好循環をつくっているのです。

　ここではまず「自分の好きなこと」と「読者の読みたいこと」の接点を探す作業をしてみてください。

4-4　市場が大きいテーマを書く人、小さいテーマを書く人

「絵を書いたら没頭しすぎて、知らないうちに2時間も経っていた！」

　あなたにも、そんな経験はありませんか？　自分が、これ

まで多くのエネルギーを費やしてきた大好きなことを執筆テーマにすると、書いていて幸せな時間が流れます。「食事も忘れて夢中で書いていた！」なんてことにもきっとなります。

　しかし、ここで立ち止まって、冷静に考えてみて欲しいのです。執筆（専門）テーマ選びは、まさに結婚と同じです。「好き」という気持ちだけで決めてしまうと、その後が悲劇になりかねません。悲劇とは「書いても書いても読者から反応がない」ということです。

　執筆テーマを決めるとき、人生の棚卸しで候補がいくつか出るわけですが、最終的には２つほどに絞り込まれる傾向があります。そして多くの人が、どちらにするか決められず悩むのです。どちらをメインテーマにして、もう１つをサブテーマとして趣味的に書けば良いのですが、メインが決められません。

　そんな時は「ニーズが強く読者層が広い」方のテーマをメインにしましょう。どのテーマが「ニーズが強く読者層が広い」かの判断の基準は、別の項でもお伝えしました「悩みの深さと悩んでいる人の数」です。さらに言うと、その業界で「どれだけのお金が動いているか」も大切です。顧客・ユーザーの数は少なくても、全体で大きな金額が動いている業界であれば、あなたの執筆テーマがビジネスにつながり、成果が出る可能性があります。

　あまりユーザーが多くない「マニアックなコンテンツ」を

書くよりは、多くの人が興味を持っている「メジャーなコンテンツ」に寄せる方が、多くの読者を獲得できます。例えば「旅」をテーマにしたいとき――本当は珍スポット巡りが大好きでも、「飛行機や新幹線のチケットをお得にゲットする方法」を知りたい人の方が多いので、後者をメインで発信した方が有利になります。

　また、"必需テーマ"を選ぶことも一つです。例えば、お金、健康、睡眠、食事、出会い、結婚、転職、起業、……などがあげられます。これらがないと人間は生きてゆけません。

　もう既にテーマが決まっている人も、今一度あなたのテーマを見直してみてください。これまでに何度も、自分の「得意×好き」や「オリジナリティ」の話をさせていただきました。しかし、ニーズがなければ成果は出ません。せっかく見つけた「得意×好き」や「オリジナリティ」ではありますが、読者ニーズがなければ切り落とし、違うテーマに切り替える。そんな覚悟も、執筆テーマを決めるときには必要となります。冷静にそしてシビアに決断していきましょう。

4-5　自分の弱みに原石が埋まっている

　劣等感をバネに成功した偉人は数多くいます。吃音（きつおん、いわゆるどもり症）を克服しようとしてきましたが、うまくいかなかった男性がいました。

しかし彼は、その吃音をリズムに乗せ、珍しい歌唱法を取り入れることで、52歳で歌手デビューを果たしました。それが、90年代、世界的に一世を風靡した、スキャットマン・ジョンです。

　世の中で、書くことによって大きな名声を得たり、ビジネスの成功を呼び寄せたりする人々の中には、かつてのコンプレックスが執筆テーマの軸になっている人もいます。

　例えば人前で話せず"あがり症"だった人が、緊張せずに話す方法を配信するなどもそうです。

　元々の悩みの谷が深かった人は、悩みが深い人の気持ちに寄り添い、かなり初歩的なノウハウから、教えることができます。

　できる人のためのノウハウではなく、できない人が、少しずつできるようになる方法を誰よりも上手に教えることができるのです。

・偏差値30台からの大学受験合格のコツ
・体重100キロからのダイエット講座
・借金500万円から貯金を一千万円貯める方法
・恋人いない歴30年からモテモテになる方法
・年収200万円の会社員がプラス500万円の年収を得る方法
・副業で何をやっても失敗したサラリーマンが、
ネット通販で年収一千万円になった方法

　これらは全て、ダメダメだった状態から這い上がるノウハウであり、ダメダメな人々の心を慰め、勇気づける内容を含んでいます。

　それが、谷が深かった人の強みなのです。完全に谷から這い上がることができていなくても、這い上がる方法を実践し、うまくいったこととうまくいかなかったことを読者に伝え、読者とともに成長していく。そんなコンテンツであっても良いのです。

　あなたの──
"悩みの谷"は何ですか？
克服しつつあることは何ですか？
　そして──
痛みを抱える人の心に寄り添い、やる気にさせて"今よりも少しだけ良いところ引き上げられる"コンテンツは何ですか？

　これらの答えは、あなたの素晴らしい「執筆テーマ」の原石です。さあ、あなたの原石を掘り出してみましょう。

4-6 「執筆テーマタイトル」「サブタイトル」「リード」をつくる

　手打ち蕎麦の一番重要な作業は、「一こね　二延ばし　三包丁」だそうです。では次に、本書の中で、最も重要な作

業についてお伝えします。それは、「執筆テーマタイトル」
「サブタイトル」「リード文」を書くということです。これは、
あなたの記事やコラムの看板を決めるもっとも重要な作業で
す。ちょうど語呂が似ているので、この作業は、執筆におけ
る「一こね　二延ばし　三包丁」と覚えてください。

　それでは、見本を実際に見てみましょう。ここでいう「執
筆テーマタイトル」は、1記事1記事につけるタイトルのこ
とではありません。あなたの「専門」を1つにまとめた「テー
マ」のことです。今後「新規にブログを立ち上げる」とした
ら、記事を書く前に、ブログ全体のテーマタイトル・サブタ
イトル・リード文（ブログ説明）を書くことになります。で
は、例を実際に見ていきましょう。

■テーマタイトル（例）

会社を辞めずに不動産で1億稼ぐ方法教えます

■サブタイトル

「自宅＋4部屋賃貸」の「賃貸併用住宅」に住むだけで儲か
る「不動産投資法」

■ リード文

サラリーマンのための「ローリスク不動産投資アドバイザー」

○○○○が教える不動産投資の入門コラム。「自宅付きの事業用物件」を銀行融資により建設。家賃収入で、一生で１億円のキャッシュフローを得る「不動産投資法」をレクチャーいたします。

　上記が、専門執筆テーマにおける「執筆テーマタイトル・サブタイトル・リード文」の一例です。重要なのは「"ご利益"を明確に表現する」ことです。"ご利益"というのは、「読者の悩みが解決すること・得をすること」と考えるとよいでしょう。

　タイトル作成のコツは、なるべく短くすること。見本は10文字〜20文字前後を目指します。

　サブタイトルは、タイトルで伝えきれなかった重要なことを解説し、タイトルを補助します。リード文は、タイトルとサブタイトルを深く掘り下げます。"ご利益"を整理して、読者・クライアントを「どのような未来に導けるのか」を書いていきましょう。フレンドリーにリズム良く書くことがポイントです。

　まずは一気に全部書き出し、あとから抽象的なところを具体化したり、余分なところを削ったりします。余分な贅肉を削れば削るほど、インパクトが強くなり、より読者や顧客の心を掴むことができます。

　この３つの看板は、今後長く付き合っていくことになります。そのため、１日や２日で決めてしまうのはおススメできません。蕎麦の生地と同じように、文章を「一度寝かせる」

ことも大切です。次の日になってもう一度自分の書いたもの
を読んでみると、さらによい表現が浮かんでくるものです。
一回で決めてしまわずに、何度も書き直し、最低一週間前後
は検討してみることです。

〈ワンポイントレッスン〉
専門家ライターとしてセルフブランディングする際に、ブロ
グやウエブメディアで書いた記事のＵＲＬを、FACEBOOK、
Instagram、Twitter などのセルフメディアでシェアすること
が必要になります。その際に、目を引くタイトル、サブタイ
トル、そしてリード文とセットでＵＲＬを記載するからこそ、
たくさん「読まれる」「シェアされる」「いいね」がつくなど
の副次効果が得られます。限られた文字数のスペースに、ど
のようなタイトル、サブタイトル、そしてリード文を記載す
るかによって結果は全く変わってくるのです。

〈メモ〉
あなたの執筆テーマは何ですか？

第5章

世界に1つの
「最強のプロフィール」を
つくろう

〜専門家ブランドを最強にする!
"プロフィール構築法"〜

5-1　自分年表を書いてみる

「私には学歴も資格も肩書きもないし……」

　こんな自分に、「専門家としてのプロフィール」なんて作れるのだろうか、と、心配になる人がいます。実は、学歴や資格や肩書きは、なくても全く問題ありません。あなたの「専門家としてのスキル」は、あなたの人生経験の中に眠っているからです。

　実は、一見関係なさそうな過去の意外な経験や体験が、プロフィールの材料になったり、あるいは、執筆テーマを強力に補完したりすることがあります。たとえば10代20代の独身の頃に合コンを1000回開催したとします。自分では単にイベント好き、あるいは、パーティー好きの証し、としか思っていないかもしれません。しかし、人と人との出会いの場を、1000回もアレンジしているわけです。このようなバックグラウンドは、たとえばこんなテーマを書くのに役立ちます。

・人間関係論

・第一印象論

・恋愛や出会いのセオリー

・コミュニケーションスキル

・人脈術

・社外サードプレイスのつくり方

　こういった自分のバックグラウンド――「" 専門家 " としての背景・ベース」となるお宝は、「自分年表」をつくることで見つかります。幼少期から小学校・中学校・大学、そして新入社員から20代の生活、30代・40代、そして今に至るまで、印象的な出来事を全部書き出していきます。その中から、特に没頭したことや熱量が高かったこと、あるいは挫折したことやショッキングだったことに焦点を当ててみてください。必ず「専門家」を名乗るのにふさわしいバックグラウンドが見つかるはずです。

　「自分年表」を書くにあたって、重要なことは「上手くいったこと・成功したこと」だけ書くのではなく、挫折などの「深い谷」も包み隠さず書き出すことです。なぜなら「挫折から這い上がる方法」を知りたい読者がたくさんいるからです。そしてプロフィールには、「克服方法を教えられる専門家」であることを記載するのはもちろんのこと、なぜこの克服方法を教えられるのか、「体験と経緯」も必ず書きましょう。この「体験と経緯」こそが、あなたが
" 専門家 " であることを証明してくれます。

　「自分年表」をつくると " 歩んできた人生 " の中に眠っていた経験や体験が掘り起こされ、最強の「プロフィールデータ」が見つかります。宝探しだと思って、是非チャレンジしてみてください。

5-2 "ブランド属性"を全て書き出す

「今日はなんだかカッコ良く見えるね！」
「男のスーツは"3割増し"と言われるからね。」
　スーツが男性のカッコよさを3割も引き上げてしまうように、「ブランド力」のある「属性」を持っていると、専門家としてのプロフィールに磨きがかかります。
　しかし、多くの人は、そんな「特徴」を持っていません。そこで「一流」の属性がなくても、「ブランド力」があるように見せる方法があります。たとえば学歴です。偏差値が高い大学出身の人以外でも、出身学部、出身学科を書くことで、それについてたくさん学んでいる「専門家」であるような印象を与えることが可能です。
　また、新入社員の時に就職した会社が、超有名でなくとも、業界内で一目置かれている場合は、それも「ブランド」として使うことができます。もちろん、スポーツでの記録などがあれば、「結果を出せる」イメージにつながるので、ぜひプロフィールに載せたいところです。
　ともあれ自分の属性のなかで特徴的だったり、平均以上のものを、全部書き出してみてください。その中から、自分の執筆テーマに関連するものを抽出し、プロフィールの中に並べてゆきましょう。

　最初のうちは活動実績が少ないので、過去のデータから、プロフィールを書くしかありません。実績は、これから積み上げていけばいいのです。

　今後のあなたの活動次第で、プロフィールはいくらでも、華々しく更新していくことができるのです。地道に実績を増やしていけば、ゆくゆくは、相談件数 1000 件の人気「○○アドバイザー」と名乗ることができるようになります。

5-3　自分の開発した法則に名前を付ける

　20 世紀初頭、マックス・ヴェーバーというドイツの政治学者がいました。彼は「万有引力の法則・相対性理論」といった自然界の法則だけでなく「社会現象にも法則がある」という理論の持ち主です。その理論から、社会を科学する「" 社会科学 " の巨匠」と言われるようになりました。世の中には、たくさんの " 法則 " があります。

　例えば——
・パレートの法則（80 対 20 の法則）
・10000 時間の法則
・メラビアンの法則
・グレシャムの法則
・ピーターの法則
・マーフィーの法則
　などです。あなたも一度は耳にしたことがあるのではない

でしょうか？

　こうした"法則を唱える人"は「すごい偉人だ！」という印象があります。しかし、多くは、実際のビジネスシーンや生活、社会的活動の現場で発見されました。つまり、法則は「誰でも作っても良い」——もっと言えば、作った人が勝ちなのです。実際に、このような法則を自分で作り、書籍や連載や講演、あるいはビジネスなどでそれを活用し、多くの人から信頼を勝ち取る人が大勢います。

　そして、もちろんあなたが作ってしまっても良いということです。

　まずは、あなたの専門分野でうまくいったこと、あるいはうまくいかなかったことを考察し、書き出してみましょう。

　そして、それらのパターンを、5から7つのセオリーに集約し、それを統括するネーミングを一つ考えます。

　これで、あなたオリジナルの法則のできあがりです。たとえば、あなたが「人間関係」の専門家だとします。

　ここで、次のような5つのセオリーをつくります。

1）他人を褒めるより、先に自分で自分を褒める

2）「100％悪い」意見を持つ人はいない

3）攻撃的な相手を「認識」はするが「感情移入はしない」

4）自分の家族だと思って相手をフォローする

5）時に「愛のあるダメ出し」をしてもいい

そして、これらのセオリーを包括して「人間関係の悩みが消える"フラットスタンスの法則"」のように名付けるのです。この法則を、必ずプロフィールに書きましょう。

これで、あなたはこの法則を開発した第一任者となり、そのジャンルの専門家であるという証明をすることができるのです。

5-4　強いプロフィールの持ち主になる方法

「プロフィールを作ったけれど迫力がない…」
「これで"専門家"と言えるのかな…」

プロフィール作りの最中に、そんなふうに感じてしまうことがあります。しかし、ある方法を使えば、必ず強いプロフィールに書き変えることができます。

その方法とは、「たった一人のコミュニティー」をつくり、その代表になるということです。「○○研究会・○○コミュニティー・○○同好会・○○実行委員会」の代表を自称します。もちろん最初はあなた一人。立ち上げ後、3 人 5 人 10 人とメンバーを増やしていきます。月に 1 度必ず定例会を開いて「会を催している状態をつくりましょう。

もちろんオンラインの会合などでも構いません。メンバーが少なすぎて開催する意味がないと思う人がいますが、少人数で定例会を開催することは、実際にたくさんのメンバーが

集まる前の良い予行練習になります。

　実際にバンドマンなどは、たとえファンがゼロでも、小さなライブハウスでライブを開催することがあります。知り合いに頼み込んでライブに来てもらったり、他のバンドの人に見てもらったりします。たとえそれが難しくとも、ライブハウスのスタッフや、音響エンジニアの人が見てくれます。このようにして、人前で演奏やパフォーマンスをする練習をしているのです。これと同じように、コミュニティーの定例会も少人数で開催し、YouTube に動画をアップするのが効果的です。

　対談形式にして、「今回の○○研究会の定例会は"パネルディスカッション"です！」という形式にするのです。そこでは、あなたのオリジナルメソッドや法則、セオリーを紹介します。

　こうして、不特定多数の目に触れる「定例会」を練習もかねておこなうことで、実際に、あなたが専門家らしくなっていくのです。

　このようなコミュニティーを大きく育てていくことで、専門家として信頼や箔がつき、執筆する内容についてのネタも集まります。誰でも最初はたった一人からのスタートです。

　とにかく、活動していることをプロフィールに書くことを最優先にするのです。この方法を実施することで、あなたの信頼度や知名度がどんどん増強されてゆくのです。

5-5 職を 40 回変えた人は転職のプロ

　ここで、プロフィールを作成する時に、もう一度おさらいしておきたいことがあります。それは、「数」を再度抽出するということです。良いことも悪いことも、あらためて、全部、「数値化」してみるのです。

　「有料の相談件数は 50 件ぐらいしかないけれども、無料相談なら、友達も含め 500 件ぐらいしている」といったように、とにかく数にしてみるのです。

　実績を「数」で証明できることは、プロフィールを作る上でとても強みになります。

　また、「数」によって裏付けられた人生経験も、その人の「専門家らしさ」を補強します。以前、どこに行っても仕事が務まらず、40 回転職したという人がいました。しかしそれは「40 種類の仕事体験留学」をしたということです。一つのジャンルの専門知識を、深く掘り下げたわけではありませんが、世の中を広く知るゼネラリストになったということや、さまざまな人との出会いを経験したことが「執筆に生きる」のです。

　100 回お見合いして駄目だった。この趣味に 1000 時間かけてきた。借金 300 万円を返済した。

　などなど、あなたにも数字にできるものがきっとあるはずです。

　前述した「自分年表」を見ながら、数値化できるものを色々な角度からあらためて探す作業をしてみましょう。それによ

り、あなたのプロフィールは、もっともっと強くなっていくはずです。

5-6 なぜどん底や黒歴史を書くと共感されるのか？

「人生には３つの坂があると申しますが、この３年は"まさか"ばかり」。

　これは歌手の森進一さんが2007年のコンサートで口にしたセリフです。当時、森進一さんは、森昌子さんとの離婚、Ｃ型肝炎、『おふくろさん』の著作権問題など、さまざまなトラブルを抱えていました。その２年後にリリースしたのが、『ゆらぎ』という曲です。
「もう失うものがなけりゃ　気楽に生きていける」

　ハードボイルドな歌詞を、ダンサーを付けて本人も踊りながら歌うという「ダイナミックなイメチェン」がおこなわれ、ファンの心を掴みました。これは「まさか」の苦労が表に出たからこそ人気が出た曲、と言えるでしょう。

　人生における深い谷——これは、誰にでも、多少はあるはずです。勉強ができず学年でビリだった。毒親に育てられた。夏休みの宿題は白紙だった。友達が一人もいなかった。いじめられていた。年収が低かった。借金まみれだった。全くモテなかった。就職ができなかった。引きこもりだった。これらを「乗り越えた」というキャリアは、とても役立つのです。
「この人は自分よりも、辛く苦しい体験をしている」

そう思えるエピソードは、読者に安心感と共感を与えます。
また
「この人ならば私の気持ちをわかってくれる」
と、親近感を持ってもらえるのです。

　一般的に、読者は書いて発信する人のことを「頭の良い成功者」という目で見る傾向があります。プロフィールに成功体験を書いておけば最初は「なんかすごい人みたいだし、この人のメソッドはきっと素晴らしいに違いない」と思わせることができるかもしれません。

　しかし、読者がつまづいた瞬間から、「やっぱりこのメソッドは、この人だからできたことなんだ」と思われ、読者が離れていってしまうのです。
「私はかつてあなたよりも深く辛い悩みを抱えていましたが、そこから抜け出してうまくいったんですよ」
　プロセスの見える人になることで、読者は「まさに自分のために書いてくれている！」と解釈し、心を重ねてくれるのです。

・こんなプロフィールをつくろう！

　ここまで、プロフィール作成における様々な大切なことをお伝えしてきました。ただ、実際に作成するとなると「あれがこれで…どうだっけ？」と、分からなくなってしまうものです。そこで、専門家として際立った実際のプロフィールを紹介しながら、解説していきます。

例１）

大長伸吉 (だいちょうのぶよし)
年金大家会主宰、ランガルハウス株式会社代表。

1971 年静岡生まれ。千葉大学院工学研究科卒。宅地建物取
引士、貸金業務取扱主任者、FP 技能士。サラリーマン・事
業主の年金対策と副収入増額を目的として、東京都心の土地
取得から賃貸物件の建築、満室経営をワンストップで支援す
る専門家。セミナー参加者は累計 4000 人。131 棟の建築コ
ンサル実績があり、クライアントは 98%満室。自身の所有
物件は、7 棟 43 室で 20 年間、満室の安定経営を継続している。

例２）

N1 マーケティング専門家 犬飼江梨子 （いぬかいえりこ）
マーケティング・リサーチ会社 (株) イー・クオーレ代表
取締役

　1 人 1 人の無意識心理を徹底的に掘り （dig）、事象的根拠
（エビデンス） をもとに、心理法則を発見 （analyze）。量的
調査による検証を行って、自社差別化ポイントを発見する手

法「N1 Diganalyze Marketing（顧客マインドの見える化メソッド）」を開発・提供。15年間で約1万人の消費者心理と向き合い、心理学・脳科学的アプローチで消費者の「無意識下欲求」を分析。「無意識下欲求」にフィットした「商品・サービス」の「潜在的価値・強み」を顕在化するサービスを提供。

　モットーは、「人間のココロ（無意識領域）の未充足ニーズを引き出し、本当に求められる商品・事業開発・企業成長の創造を実現する」。

・米国NLP協会認定マスタープラクティショナー
・LABプロファイルトレーナー

http://ecuore.co.jp/
https://note.com/ecuore

例3）

たぐちさきこ
テレワーク＆縮小移転の推奨アドバイザー

　最適なコワーキングスペース、SOHOオフィス、レンタルオフィスの探し方、テレワークに最適な物件の探し方をサポートし、「移転して失敗」がない物件選びや、テレワーク環境を良くする便利アイテムについてアドバイス。

「小規模オフィス」を専門に3200件以上の物件を仲介する会社に10年以上勤務。現在、テレワーク中でもスマホで代表電話に出れるクラウドサービス活用法についてもアドバイスし、自社サイト運営責任者として2万件以上のオフィス物件を紹介している。

「テレワークオフィスへの来客時の印象を良くしたい」「作業効率を最高にしたい」「人脈を広めたい」などの業績向上アドバイスについても実施。

著者が開発した「最適テレワーク環境発見の4原則」においては、1. テレワークで実現したいことの明確化　2. テレワークに最適な物件のイメージング　3. 後悔しないですむ「物件選び最新基礎知識」の取得　4. テレワーク便利アイテムの活用を推奨している。

「テレワークのために最適なSOHO物件に引っ越したいけど方法がわからない」「そもそもSOHOって？」「テレワークしたら効率が下がったから環境を変えたい」「コワーキングオフィスとレンタルオフィスの違いはどこ？」など、ワーキングプレイスの疑問を解決する。

ＵＲＬ：①物件検索「SOHOオフィスナビ」
http://sohonavi.jp/
ＵＲＬ：②ITツール紹介「ICT相談室」
https://ardent.jp/rentoffice-consultation-center/

例）4

あさがお ひであき
「オールディーズライブハウスを永遠に！」推進家

1950〜60年代の古き良き時代のアメリカ音楽を体験できる
空間「オールディーズライブハウス」の楽しみ方を広める
活動を展開。オールディーズライブハウスに心酔して20年、
全国50か所、1000回以上訪問し、100バンド以上のライブ
を鑑賞。現在、約2000人のオールディーズライブハウスコ
ミュニティをFacebook上で運営中。
『「オールディーズライブハウス」を10倍楽しむ方法』とし
て　1. 揺れて跳ねて踊ってみる。　2. 50Sファッションを
真似してみる。3. 異なる世代の人との出会いを楽しむ。4.
恋をする　5.（Oldiesのモノと音楽がある空間で）懐かし
さに浸る、などの5つのポイントをレクチャー。
　この時代の曲や歴史を語る以外にオールディーズライブハ
ウスが「なぜ楽しいのか？」「どうやったら楽しめるのか？」
「なぜ自分や人生が輝いてくるのか？」をレクチャーする。
ストリートダンスコンテストでの優勝経験やインストラク
ターの経験をもとにオールディーズダンスのワークショップ
を実施。

　以上が、読者に「共感され、親近感を持ってもらい、専門
家の証明ができている」プロフィール例です。最後にもう一

度復習しましょう。上記のようなプロフィールを作成するには、まず「自分年表」を書いて経験・体験を洗い出し——

・オリジナルの法則
・ブランド力のある属性
・箔をつけるため発足したコミュニティ名
・過去から抽出した「数字」
・深い谷（あれば）

を記載する。これらを実践することが重要です。さあ、あなたも最強のプロフィールに挑戦しましょう。

〈メモ〉
プロフィールの下書きを書いてしまいましょう！

第6章

読者が喜ぶ「秘伝のセオリー」を絞り出せ！

〜 100 人中 100 人が読みたくなる "記事タイトル" のつくり方〜

6-1 目の前に「小学校 6 年生」の子が いると想像して書く

　自分のオリジナルセオリーを WEB メディアで発信すると
き、初めての方は「ある勘違い」をしがちです。同業他社や
同業専門家に見られたときに、稚拙な内容を書いてると思わ
れないよう、高度な内容を、かみくだかずに書いてしまうの
です。

「私はこれだけの高度な知識を持っているんだぞ！」

と、自分と同レベル、もしくは上のレベルの専門家の人を意
識してしまう。これは「専門家としてやっていくんだ」とい
う覚悟により芽生える野心で、気持ちはよく分かります。

　しかし「意識する相手」を完全に間違えています。意識す
べきは、同業他社でもなく同業専門家でもなく、「入門者・
初心者」を中心とした方々です。

「この記事は私には難しすぎる。読むのをやめよう……」

　そう思われた瞬間、読者は離れます。決して、初心者を置
いてきぼりにしてはいけません。では、普段「専門用語」に
慣れ親しんでいるスペシャリストが、初心者に向けに分かり
やすい表現で書くにはどうしたらいいのでしょうか？

　とても効果的な方法がここにあります。それは「相手が小
学 6 年生の男の子だと思って書く」ということです。なぜ男
の子なのか？授業中にふざけたり机に落書きをしたりと、先
生の話を集中して聞かない男の子にもわかるように説明しよ

うとすれば、必然的にどのような初心者にでも理解できる文章を意識する必要があるからです。

　コツは、自分の過去を振り返り「入門者から専門家になるまでの軌跡」を、1つ1つ丁寧に拾っていくことです。まず、あなたが入門者のとき——

「何が分からないかが分からない」

「不明点をどう検索したらよいか分からない」

「講座を受けに行ってもどう質問したらよいか分からない」

なんてことはなかったでしょうか？それらの部分を解きほぐして、昔の「入門時の自分」に教えるように書いてみてください。

　また、入門者から初心者、そして中級者となる過程で、どのようなことに悩み、どのようなことに困ったでしょうか？まだ「専門用語や業界用語が分かっていないころの自分」に向けて、その悩みや困りごとを解決する文章を書きましょう。そうすると、小学6年生の男の子にも分かる記事が、とても楽に書けるようになります。

　これは上級者向けの高等テクニックを玄人向けに説明する際も同じです。ハイレベルな技術を、わかりやすくかみくだいて書くことが必要になります。

　「クオリティの高い文章」というのは、難解な表現のまま、高度な理論を述べることではありません。入門者・初心者を中心に、自分よりも詳しくない中級者も含め「誰よりも分かりやすく噛み砕いて説明する」ということなのです。

6-2 コラムを読んだ 「読者のメリット」は何なのか？

　Facebook ユーザーの 4 割が、「SNS 疲れ」を経験しているそうです。

　他人のリア充投稿を見せられたり、上司の自慢話に「いいね」を押さなければいけない空気を感じたりするからです。

　「セルフブランディング」というと、こんなイメージを持つ人もいます。豪華なライフスタイルや自撮り写真を投稿し、ネット上で芸能人のようにふるまうことです。もちろん、読者に親近感を持ってもらうため、たまにプライベートな話をするのは良いでしょう。しかし、「自慢話」と思われてしまうような、「自分中心の話題」が主体になってしまうのは考えものです。それは、読者の読みたいことではありません。

　ライター、コラムニスト、著者にとっての「セルフブランディング」は、読者の悩みを解決し、信頼され、感謝され、ファンになってもらうことなしには成功しないのです。

　読者はどんな時に書き手に感謝し、信頼するでしょうか。それはやはり自分が知りたいと思っていることを懇切丁寧に分かりやすく説明し、悩みや痛みを解決してくれた時です。または、楽しさや幸せを与えてくれた時です。読者が悩みを解決できた時。より良い生き方をするための方法を学べた時。数ヶ月、1 年、2 年、3 年にわたり、その書き手のコラムを

読むことで、成長を実感できた時。そんな時に、その書き手を信頼し、感謝し、ファンになります。

　読者をこのような状態に導いて、そこではじめてあなたの、〜専門家としてのセルフブランディングは成功するのです。セルフブランディングをするというのは、一見、自分を売り込むためにおこなう、自分のための努力のように見えます。

　しかし自分のことだけを考えて執筆・発信していては、その夢は一生叶いません。何度も言いますが、セルフブランディングの達成度は、読者から感謝された数に比例するからです。そのためには読者のメリットは何なのかということをじっくり考えるということが必要です。人間は苦しみから逃れることか、あるいは快楽を得ることか、そのどちらかの理由でしか"専門家コラム"を読みません。

　ですから、そのどちらかの軸で情報を提供するのです。

　当然ながら、文章が長すぎる、漢字が多すぎる、難しい専門用語をわかりやすい表現にせず、そのままバンバン使う……といったことがないように、気を遣う必要があります。どこまで行っても「相手目線」。

　読書の顔が目の前に浮かんでいる状態で文章を書き、文字にエネルギーを乗せて発信するのです。

6-3 「○○すると○○になる！」の セオリーを 10 個書き出す

「どうしよう、この前パーティーで知り合った彼に、
ディナー誘われちゃった！行ってもいいと思う？」
「すごいじゃん！　モテ期到来だね。カッコイイ人だったし、
行ってみたら？」

　このように、判断に迷う出来事が発生したとき、友人にア
ドバイスを求める人は多いと思います。しかし、友人という
のは、無責任なことを言う場合があります。「背中を押して
あげたい」という気持ちやその場のノリで、「何々したらど
う？」と気軽に言いますが、その結果相手がどんな目に遭う
か、までは想定してくれません。

　そこで、「専門家」の出番です。専門家であれば、初心者
や一人で解決できない人に対して「どんな行動を起こすこと
でどんな結果が得られるのか？」を理論的に伝えることがで
きます。

　それでは、ここから「"専門家"として文章を書く」ため
の具体的なレッスンに入っていきます。

　まずおさらいです。活字離れしている読者は、自分にとっ
てメリットのあるコラムしか読みません。では、読者のメリッ
トとは何でしたか？

　2つ答えてください。

　——1つ目は「読者の悩みを解決すること」。もう1つは「読

者の欲望を満たすこと」でしたね。この２つのどちらかが書かれていたとき、読者は「役に立った」と感じます。それでは、読者が「メリットを感じ、役に立ったと思う文章」を書くワークを実際に行っていきます。

　まず、小学校のクラブなどで、あなたが得意だったことを思い浮かべます。水泳・サッカー・バレーボール・楽器・声楽・絵画・イラスト・手芸・工作などなど、何でも構いません。そして、そのクラブの先生やコーチになって、目の前にいる小学校６年生の男子生徒に、指導をしているシーンを思い浮かべます。実際に体や手を動かす必要があることに対して、先生やコーチがうやむやな指導をするわけにはいきません。具体的に頭の中に絵が浮かぶように、明確な指示を出してレクチャーをする必要がありますね。

　例えば、声楽の先生が「はい！お腹から声を出して！」といった、よくある抽象的な指示をしたら、小６の男の子は「どうやって？」と困惑してしまいます。ここで「両足を肩幅に開いて、息をお腹まで入れるつもりで鼻から吸ってー、そのままおへその下に力を入れて、ゆっくりと口から『はー』っと吐き出してー。はいもう１度、次は息を吐き出すときに『あー』と声を出してみましょう。…はいそうです。

　「読者」も、そのように明確な指示をされたいのです。読者は、文章を読むとき「完全な受け身になっている」と覚えておいてください。だからこそ遠慮なく明確な指示を出す必要があります。これにより、読者の満足度は上がり著者を信頼します。遠慮がちで抽象的な文章は、読者にストレスを与

え困惑させてしまうので注意が必要です。

　ではここで、明確な指示——アドバイスができる「型」をご紹介します。その型はとてもシンプルです。「○○すると○○になる！」この型に、あなたのノウハウをあてはめると、読者は具体的に「何をした場合、どのような結果を得られるのか」を、瞬時に理解することができます。まずは、読者の悩みに対しての解決策、または欲望を満たす（＝望みを叶える）ための方法を、この型に当てはめて10個書き出してみましょう。

　例えば、「恋愛が上手くなりたい女性」に対して「『男の本音』を教える専門コンテンツ」を書きたいとします。ここで「男の本音を知る方法」を「○○すると○○になる」に当てはめて、次のようにセオリーを出していきます。

■「○○すると○○になる」の例

1. 出会った日にお持ち帰りされると、軽い女と思われる。

2. 褒めすぎず適度に " いじる " と、一緒にいるのが楽しいと思ってもらえる。

3. 出会った相手に『またみんなで会いましょう』と言えば、複数人と連絡先交換ができる。

4.『付き合おう』と言わない男性に深入りすると、遊ばれて

傷つく。

　このような形で"セオリー"を10個出していきましょう。
書き出すことができたら、次のように肉付けしていきます。

■「○○すると○○になる」を元にしたセオリー肉付け例

――「出会った日にお持ち帰りされると、軽い女と思われる」
　↓

出会ったその日に「付き合おう」と言われたら断って下さい。
その方が本命の座に近づきます。また、出会ったその日にお
持ち帰りされると「軽い女性なんだな」と思われてしまうか
らです。

――「褒めすぎず適度に"いじる"と、一緒にいるのが楽し
いと思ってもらえる」
　↓

相手を褒めすぎるのではなく、適度にいじってください。適
度にいじられた方が、男性は「本音」や「自然体」で接する
ことができ距離が縮まります。そして一緒にいて楽しいと
思ってくれます。

――「出会った相手に『またみんなで会いましょう』と言え
ば、複数人の人と気軽に連絡先交換ができる」
　　　　　　　　　　　　↓

合コンやパーティーで出会った男性たちとは「またみんなで会いましょう」と言って連絡先を交換してください。「みんなで会いましょう」なら、"がっついてる感"を出さずに自然な雰囲気で全員と連絡先が交換できます。

──「『付き合おう』と言わない男性に深入りすると、遊ばれて傷つく」

↓

「好きだよ」と言ってきても、付き合おうと言わない男は、彼氏として簡単に認めてはいけません。「好きだよ」と言って、遊びの恋愛を仕掛けてくる男性がいるからです。「付き合おう」と言わずに始まった恋は、結果「遊び」だったとしても、男性を責められません。「え？付き合うって言ってないよね？」と言われればおしまいだからです。

　このように細分化して、具体的にわかりやすく丁寧に"強い指示"を出す。これが、読者にメリットを与える「お役立ちコラムの原型」なのです。
　この「セオリー出し」のトレーニングは、これから「専門家コラムニスト」としての「瞬発力」を鍛える大切なワークとなります。

6-4 セオリーを 「記事タイトル化」する方法

　さて、続いては次のミッションです。先程出したセオリー10本に加え、さらに20本を追加して書き出してみましょう。

　「ええ！なぜさらに20本も！？」　と驚きましたか？しかし、これらの作業は、あなたの未来を運命づけるとても大切ことです。ここで書き出した合計30本のセオリーは、そのままこの先１〜２年の間に執筆する記事のタイトルになるからです。合計30本出せるかどうかは、その道の専門家として発信できるかどうかのオーディションと捉えましょう。

　30本面白いセオリーが出るのであれば合格です。出ないのであれば、そのテーマはあなたに合っていないのかもしれません。１時間や２時間で出しきろうと思う必要はありません。

　１日２本ずつ、２週間ぐらいかけて、30本達成を目標にしてみてください。

　30本を書き出した後に、その30本に「ある魔法」をかけます。

　具体的には次のようになります。

「魅力的な男性を見つけたらすぐに告白せずに、他に10人の男性を引き出してください。

魅力的な男性の後ろには、10人以上の魅力的な男友達がいます」

　これに魔法をかけ読者が読みたくなるタイトルに変えると、こうなります。

「魅力的な男性10人と "友達以上恋人未満" になる方法」

　あるいは

「魅力的な彼氏ができる確率を10倍にする方法」

　などです。ここで大切なのは、メリットがダイレクトに伝わることです。「○○すると○○になる！」というメリットを先に書き、最後は「方法」「秘密」「コツ」「レシピ」「マニュアル」「ルール」などの言葉で締めます。30個のセオリーは、このように加工することで、1回1回の記事のタイトルにすることができるのです。
　さらには次のようにアレンジすると、読者はもっと読みたくなります。
「1日たった3分！1ヶ月で3kg痩せる呼吸の秘密」
「1日たった3分」という限定を設けることで、世に多く出回っている類似セオリーとの差別化ができます。これを「限定法」と言います。

限定×結果×方法
～するだけで×～になる×～方法

頭の中に、こんなタイトル作りの公式を描きましょう。

「友達を増やすだけで史上最高の彼氏ができる３つのコツ」
「たった１行で２回目のデートにこぎつけるモテメールの法則」
「１日５分で３カ月後に不動産投資デビュー出来る勉強法」
「１分息を吐くだけで冷え性が治る " 神呼吸法 "」

　などです。BLOG 執筆の次にメジャー WEB メディアで連載する時には、毎回このようなタイトルづくりが必須になります。将来的に書籍を出すのであれば、目次の候補にもなるのです。
　さあ！２週間かけて「限定×結果×方法」の公式をつかって「30 フレーズ抽出」をやってみましょう。

6-5　アンチテーゼを書くと " クレバー " に見える

　2019 年に『FACTFULNESS(ファクトフルネス)』という本が大ヒットしました。客観的なデータを元に、勘違いに基づく一般常識や思い込みから解放され、情報を正しく読み解こうとする本です。最近は「フェイクニュース」という言葉もよく耳にします。
「本当に正しいこととは？」

「本当に役立つ情報は？」

　情報洪水の時代、そんな模索を人々が始めるようになったようです。

　ブログやウェブメディアの連載や書籍では、あることを書くとヒットします。それは「アンチテーゼ」です。「アンチテーゼ」とは、世の中で正しいとされている常識や一般論に、あえて反論するということです。では、なぜ「アンチテーゼ」を書くと、記事や書籍がヒットするのでしょうか？それは読者は「自分の視点を変えたい」と思って文章を読むからです。

「もっと人生を良くしたい」
「もっと幸せになりたい」
「もっとモテたい」
「もっと金持ちになりたい」
「もっと尊敬されたい」
　……

　でもそうなるためには、視点や考え方を変えなければいけません。

　考えを変える前提で、人々は ウェブコラムや本を読むため、一般常識とは逆のセオリーに飛びつくのです。

　あなたにも、世の中の常識とは違うけれど、密かに「本当はこれが正しい」と思っていることがあるはずです。それらをぜひセオリー化・タイトル化してしまいましょう。

　たとえば──

「節約家がお金を無駄にする４つの理由」
「"ポジティヴ女子"が意外とモテない３つの理由」

　なども「アンチテーゼ」に該当します。
また、全ての記事を「アンチテーゼ」にする必要はありません。アンチテーゼはスパイスの役割です。読者の脳に「その手があったか！」と刺激を与えます。そして気づきを与えてくれた書き手は感謝され、他の著者と大きく差別化し、コアなファンを掴むことができるのです。

〈メモ〉
あなたの人生はもう動き出しています！

第7章

「書けない！」が「書けた！」に変わる魔法の文章執筆術

～読者が100%ファンになる文章作成のコツ～

7-1 たった 1 人の悩みを解決すると 1000 人のファンがつく

　キリスト教徒は世界に 20 億人いますが、もとはといえば、イエス・キリストという一人の人物から始まりました。イスラム教は 16 億人、仏教は 4 億人の教徒がいます。

　あなたも、キリストやブッダとまではいかなくとも、役に立つ文章で人々の悩みを解決することで、たくさんの読者ファンに囲まれることになります。

　今のウェブ社会では、たった一人の書き手の思いが、一瞬で拡散されます。

　どんなに文章が苦手な人でも、それが実現できてしまう方法があります。文章を書くときに、目の前に何かで困っている大切な誰かがいる、とイメージして書くことです。

　そうすることによって、読者の心を動かすことができます。悩んでいる人が目の前にいたとしたら、自然と、具体的なアドバイスをしようと心がけるはずです。

　相手を気遣い、きめ細かな説明や寄り添い、励まし、愛のある叱咤などを表現しようと思うでしょう。相手を思う気持ち 200％で文章を書けば、その思いは必ず読者に伝わります。

　最初は「いいね」や「コメント」が 1 件しかつかないこともあります。

　でもその 1 件の後ろには、同じように思っている人が 100 人は存在します。あるいは多くの人が読むウェブメディアで

のコラムであれば、1000人は同じように感動していると思っていいでしょう。

　まずは目の前で困っているたった1人を思い浮かべてください。そこから大きな一歩がはじまります。

7-2　"事実伝達法"なら迷わず書ける

　この章では、ウェブコラムや書籍で使われている「プロの文章」の書き方をいくつか紹介します。

　一つ目は「世の中の事実を伝え、その内容を解説し、そこに独自のコメントをつける書き方」すなわち「事実伝達法」です。

　「事実伝達法」では、まず冒頭で「過去の歴史で起きたこと」や「現在世の中で起こっている事実」を述べます。ニュースで発表されたこと、公の機関の調査結果、医学的なデータなどをつけることもあります。事実、事象を述べた後、その事実が起こっている理由や対応策などを、専門家の立場から論じるのです。例えば、以下のようなパターンです。

タイトル：今、7割の正社員が会社に頼らない働き方を求めている

昨今のコロナ禍において、接客業や旅行業飲食業の売上が格段に下がっている。経営を継続することができずに、社員を

解雇したり、あるいは副業の認可をする会社も多数あらわれた。

2020年、副業スクール「●●●」を展開する▲▲㈱によれば、調査対象の約8割が本業以外の仕事を検討し始めているとある。

このデータにあるように、一つの会社にずっと働き続け、一つの会社から収入を得るという働き方が、常識ではなくなっている。もはや昨今の副業解禁の世の中の流れもあり、会社外から収入を得るための方法を模索する人も急増している。

また、昨今次のような大手企業が次々と副業の解禁をしている。

・アサヒビール
・SMBC日興証券
・みずほフィナンシャルグループ
・ソフトバンク
・ロート製薬

「コロナ禍」と「副業解禁」の、ダブルの流れにより、多くの人が自分と向き合い、自分は何が得意なのか、棚卸しを始めた。自分は一体どんな仕事が好きなのか、やりたいことを再び模索し始める人も増え始めている。

会社は給料をもらうための「ライスワーク」と割り切り、会社外では、好きで得意な仕事をして、イキイキワクワクと生きていく。そんな人が、今後ますます増えていくだろう。

このような自分ファーストの働き方、生き方は、リモートワークになったことでさらに加速していく。

会社の価値観から自分を開放し、会社に頼らずに「好き」で「得意」なことで、社外ワークをする人の時代がやってきた。

———

「事実伝達法」は、中学・高校時代の小論文や大学時代の卒論などのように、あるテーマについて「仮説・検証」をし文章にする方法です。まずは普段の雑談で話している時事ネタを客観的に考察することから始めてみましょう。

7-3 「ブロック法」で 一流の専門家の文章が書ける！

あなたは小さい頃「レゴ」で遊んだことはありませんか？デンマークのレゴ社が積み木のように遊べて、なおかつ結合できる「プラスチック製ブロック」を発表したのは、1949年のことだそうです。

さて、文章の書き方にも「ブロック法」という書き方があ

ります。これは、書くべきことをブロックで分け、決まった並び順の「型」に当てはめて書く方法です。この方法は潮凪道場〜WRITAS！〜でのレッスンやメディアデビューした生徒さんたちの間で実際に頻繁に使われています。

　この方法を用いることで、わかりやすくて、説得力のある文章を、誰でも書くことができます。それでは早速、ブロック分けしている「型」をご紹介してゆきましょう。

■ブロック法の型

（1）○○な時がありますね……シチュエーション設定

（2）そんな時は●●しましょう……問題解決アドバイス

（3）そうすると□□になることができます……結果の説明

（4）それは■■だからです……結果が得られる理由の説明

（5）でも、××すると◆◆になってしまいます……禁止事項の説明

（6）（A社で働く）Bさんは●●をして□□になることができました……事例

（7）○○な時は●●しましょう。□□になることができます

よ……（1）〜（3）のことを再度「結論」として短く言う

　以上、全部で7ブロックになります。
　次に具体的に、どのようにして、文章をつくっていけば良いかを説明します。ここで、テーマを「ダイエットに成功する方法」として、実際に当てはめていきます。ぜひ声に出して読んでみてください。

[ブロック法実践1／テーマ「ダイエットに成功する方法」]

（1）○○な時がありますね……シチュエーション設定

ダイエットがなかなかうまくいかない時がありますよね。

（2）そんな時は●●しましょう……問題解決アドバイス

そんな時はまず、食事の量を少しだけ減らして、
逆に3食きっちり食べることからはじめてみましょう。

（3）そうすると□□になることができます……結果の説明

これにより、あなたは少しずつ
無理なく痩せることができます。

（4）それは■■だからです……結果が得られる？理由の説明

その理由は、空腹をあまり感じることなく、
１日のカロリー摂取量を減らすことができるからです。

（5）でも、××すると◆◆になってしまいます…禁止事項
の説明

でも、食事をまるまる抜いてしまうと、
体が飢餓状態に陥り、カロリーの吸収率が高くなって、
逆に太ってしまうのです。

（6）（Ａ社で働く）Ｂさんは●●をして□□になることがで
きました……事例

私はこのやり方で、さほど頻繁に運動をせずとも
１カ月で２キロ痩せることができました。

（7）○○な時は●●しましょう。□□になることができま
すよ……（1）〜（3）のことを再度「結論」として言う

なかなかダイエットが成功しない
──そんな時はまずは食事の量を少しだけ減らして、
逆に３食きっちり食べることです。
それによりスムーズに痩せることができるのです。

　このようになります。

　では、次はご自身のテーマで実際に書いていきましょう！まずはこの「型」をご自身が執筆されるファイルに書き写しましょう。書き写したら、上記の「ダイエットに成功する方法」に上書きするような形で、1ブロックずつ当てはめて書いてみてください。慣れてきたら例文を外し、「型」だけ見ながら書くようにしてみてください。

　ブロック法で書くコツは「ノウハウを教えてあげるスタンスになることです。つまりは「先生」です。
「先生だなんておこがましい……」などと思わずに、胸を張って読者にアドバイスしてください。

　自生徒さんと対話をする意識を持つことで、魂が宿り、血の通った文章を書くことができます。さて次は応用編を学びます。

7-4 WEBメディア連載や書籍でも通用する「ブロック法応用編」

　レゴは元々「赤・黄・青・黒・白・灰色」の6色で構成される、子ども向け玩具でした。つくりは単純で、取り扱い説明書なしで、子どもが直感的に遊べるものです。それが今では、さまざまな色が追加されデザインも複雑化し、大人の愛好者が数十万個の部品を使って、重さも数十キロにおよぶ「彫像作品」をつくることもあります。

さて、「ブロック法」にも、そんな応用編があります。ここでは少し長めの文章作成に挑戦します。長文の場合でもやることは同じです。今回はテーマを「誰でも簡単に早起きが出来る方法」を例として、型に当てはめ、長めの文章作成をしてみます。

［ブロック法実践２／
テーマ「誰でも簡単に早起きが出来る方法」］

（１）○○な時がありますね……シチュエーション設定

早起きをして１日を充実させたい。
そんなふうに思う時がありませんか？

（２）そんな時は●●しましょう……問題解決アドバイス

そんな時は早朝に誰かと「約束」をしてしまいましょう。
カフェで打ち合わせをする、ZOOM早朝MTGをする、早朝オンライン配信をするのでも構いません。

（３）そうすると□□になることができます……結果の説明

そうすることで、早朝に必ず起きることができるのです。

（４）それは■■だからです……結果が得られる？理由の説明

なぜそんなに簡単に早起きすることができるのでしょうか？
それは「誰かとの約束を破るわけにはいかない」からです。
" 自分だけ " との約束ならば簡単に破れてしまいますが、
" 誰かとの約束 " を破ってしまうと迷惑をかけてしまうからです。

（5）でも、××すると◆◆になってしまいます…禁止事項の説明

だからといって、約束をあまりにも早い時間にしてしまうとハードルが上がってしまいます。
寝坊したり、遅刻したりしてしまいますから、
たとえば朝 6 時ではなく朝 7：30、
あるいは 8：00 に待ち合わせするなど、
最初はハードルを下げることが重要です。

（6）（A 社で働く）B さんは●●をして□□になることができました……事例

食品メーカーに勤める A さん（36 歳）は、早起きが大の苦手でした。
おまけにいつも残業ばかりで、平日に自分の時間がとれずにいました。
ある時同僚と朝 7 時 30 分に会社近くのカフェで朝食をとり

ながら「前倒し残業」をするように切り替えてみたのです。

夜型のＡさんは早起きに不安を覚えましたが、同僚と、それほど早くもない７時30分という時刻に待ち合わせをすることで、Ａさんは早起きに成功し、定時で仕事を切り上げられるようになりました。

（7）○○な時は●●しましょう。□□になることができますよ……（1）〜（3）のことを再度「結論」として言う

早起きをして１日を充実させたい。

そんな時は早朝に誰かと約束しましょう。

そうすることで、早起き習慣をスムーズに身につけることができます。アフター７を思う存分、楽しむことができるようにだってなれるのです。

　このようになります。

　では、先程ご自身のテーマで書いた原稿で、ブロックごとに加筆してみましょう。「どう追記したらよいか分からない」という方は、先程と同様に例文をご自身のファイルに、ブロックごとに書き写してください。そして、ご自身のテーマで上書きすると、ブロック法の長文が身に付きます。

　ブロック（7）まで加筆できたら、「型のフォーマット」を消去して、前後のつながりを意識しながら全体を整えてください。レゴを組み立てるようにワクワクしながら、この作業に取り組んでみましょう。

7-5 「サンドウイッチ法」は WEB 連載の鉄板

「サンドウィッチ」は 18 世紀後半、イギリスの「第 4 代サンドウィッチ伯爵」が好んだことから、そのように命名されたそうです。

さて、潮凪道場〜 WRITAS ！〜で実践しているライティングメソッドのなかで、パンに具を挟むような形式で書く「サンドウィッチ法」というライティングメソッドがあります。世の中のメジャーなウェブメディアで執筆する際、使われる文章の型でもあります。これを覚えれば、どんなメジャーな WEB メディア連載も恐くありません。

■ウェブメディア向け執筆法 サンドウィッチ法ワーク

「サンドウィッチ法」は——「イントロ文章（パン）」と「エンディング文章(パン)」で「読者に届けるノウハウ(具材)」を挟む「文章の型」のことです。

図にすると、次のようになります。

■タイトル○○○○

```
┌─────────────────────────────┐
│                             │
│     イントロ（パン A）        │
│                             │
└─────────────────────────────┘

   ╭─────────────────────────╮
   │     見出し1（具）        │
   │     本文1（具）          │
   ╰─────────────────────────╯

   ╭─────────────────────────╮
   │     見出し2（具）        │
   │     本文2（具）          │
   ╰─────────────────────────╯

   ╭─────────────────────────╮
   │     見出し3（具）        │
   │     本文3（具）          │
   ╰─────────────────────────╯

┌─────────────────────────────┐
│                             │
│    エンディング（パン B）     │
│                             │
└─────────────────────────────┘
```

「ウェブメディア連載のオーディションに受かるための型」
ですので、ぜひ習得していきましょう。

　さらに詳しく「型」を見ていきますと、文字数は全体で
1500文字ほどになります。

（文字数は「連載先の規定」がない場合は基本的に自由です）

「パンA（イントロ）」と「パンB（エンディング）」で「具
（読者に届けるノウハウ）」を挟む形が、サンドウィッチのよ

うなので、私達は「サンドウィッチ法」と呼んでいます。

　ブロック法では「読者に届けるノウハウ」が1つでしたが、サンドウィッチ法では複数になります。「読者に届けるノウハウ」（具）の部分は、3つから4つ用意するのが適度と言われています。説明よりも実践が1番分かりやすいので、実際の文章を当てはめていきましょう。

　今回はダイエットコラムです。

[サンドウィッチ法／
「Web上で使用されるコラムの型」基本形]

■タイトル：21文字以内推奨

ダイエットが誰でもうまくいく3つの秘訣

■イントロ：100〜150文字ほど←パンA

ダイエットを頑張っているのに体重がなかなか減らない…
挫折ばかりでなかなか続けられない…
このように「失敗ばかりのダイエット」にうんざりすることがありますよね。
そこで誰でもダイエットがうまくいくとっておきの秘訣を3つご紹介します。

■秘訣１.　１食を少な目に３食きっちり食べる←**具 1**

ダイエットが失敗続きの人は、まず食事の量を少しだけ減らして３食きっちり食べることで痩せられます。空腹をあまり感じることなく、１日のカロリー摂取量を減らすことができるからです。

■秘訣２.「制限」を「許す」に変える←**具 2**

「『制限』を『許す』に変えましょう。「１日 2000 Kcal まで」と制限するのではなく「１日 2000 Kcal まで食べていい」にするのです。すると、とたんにダイエットを継続できるようになります。我慢している感覚がなくなるからです。

■秘訣３.　体重測定は１日以上あけた同じ時間にする←**具 3**

毎日ではなく、２日に１回、３日に１回など「１日以上空けて同じ時間」に測りましょう。

すると、ダイエットの結果を得やすくなります。１日以上あけることで、必ず結果が得られ、モチベーションを維持することができます。

■エンディング：100〜120文字ほど←**パンB**

[まとめ or 読者へのメッセージ＋締め]
今回はダイエットに失敗しやすい人でもうまくいく秘訣を3つお伝えしました。
これでもう「またダイエットに失敗してしまった…」と悩ま嘆くこともなくなります。
ぜひご参考にしてみてください。

　以上が、サンドウィッチ法を使用したコラムになります。
　「あなたのセオリー」でサンドウィッチ・ライティングをしてみましょう！最初は例文をそのまま、ご自身のファイルに書き写し、上書きしながら書いてみてください。慣れてきたら、例文なしの型に沿って書いてみましょう。

7-6　トークライティング法
——歌うように文章が書ける

　2017年にＪＴＢグループがおこなった調査によれば、会社員で「文章が苦手」な人は、約6割いるそうです。ここまで「ブロック法」や「サンドイッチ法」などの「書くスキル」を学んできましたが、それでも、
「やっぱり文章が苦手で苦手で仕方ない」
「書くことよりも話すことのほうが得意だ」

と思う方もいるのではないでしょうか？もし、そうだとしても安心してください。

　「書くことが苦手な人でも必ず文章が上達できる奥の手があります。それが「トークライティング法」です。

　では、まずは概要編で脳の中に「トークライティング」の下地をつくっていきましょう。

　「トークライティング法」とは「目の前に人がいるのを想像して語りかけるように肉声に出す」という方法です。たとえば、こんな文章があります。

「電車で海に行くと気持ちいいです。広い場所が身も心も解放してくれました」

　これは、やらされ感たっぷりに書いた「イヤイヤ文章」です。なんとも無機質な感じです。しかし、目の前に人がいるように語りかけると、文章の雰囲気はガラッと変わります。例えば、好きな人・大切な友人などが目の前にいることをイメージしながら肉声にするとこうなります。

「今日は気持ちがいいですね！
今、電車で1時間ほどの海に来ています。
家の中でテレビを見ているよりも、こうして実際に体を動か

して移動し、広い景色の見える場所に行くと、こんなにも気持ちがいいんですね。

広い場所に思い切って移動する——

それだけで人の心って簡単にパカーンって開くのですね。

こんなにも癒されることに気づきました」

　と、まず書くのではなく"声"にしてみてください。

　イメージが難しい人は、PCの前に語りかけたい相手の写真を貼ると良いでしょう。また、身近な人間だとやりにくいという方は、好きなタレント・俳優・アーティストなどの写真を貼り、彼らに語りかけるのも効果的です。

　誰かに伝えたくてたまらず溢れ出たような「ノっている文章」は人の心を強く動かします。読者の懐に一瞬で潜り込み、心の奥底まで沁み込み、生き方や考え方にも影響を与えます。このような、気持ちが文字に乗った文章を書くのと、誰かに書かされた感がたっぷりの、ただ文字が並んでいるだけ文章を書くのとでは大違いです。

　プロの書き手は、「書かされた感たっぷり」の文章を書いた時点で、キャリアダウンがはじまります。読者の心に届かない、ただの「抜け殻」のような文章を書くことで読者は次第に離れていってしまうのです。

　このトークライティング法を活用すれば、必ずあなたも、まるで会話をするように、あるいは鼻歌を歌うように文章執筆が楽しめるようになります。しかも、あなたの文章力は確

実に上達するのです。実際、多くの人々がこのやり方で、
「何から書いてよいかわからない」
「どうも文章が間延びしてしまう」
というときに「スッキリとした文章」を書くことができるようになっています。

7-7 「ブロック法」を"トークライティング"で声にしてみよう！

　ここからは「トークライティング法」を実際に使ってみる「実践基本編」です。「トークライティング法」で口を動かしながら、出てきた日本語を「ブロック法」のフォーマットに落とし込んでいく作業をします。まずは、伝えたいことを自分の「話し言葉」で実際に声に出してみましょう。「あ〜」とか「えっと……」という言葉が出ても大丈夫です。

　潮凪道場〜WRITAS！〜でおこなう「トークライティング講座」では、2人1組になって互いに話しかけながら文字に落とします。これだけで、本当に文章が見違えるほど「上質」になるのです。1人でおこなうときは、スマートフォンなどの録音機能を使って、自分の「話し言葉」を録音していきます。ただ「伝えたいことを自分の"話し言葉"で実際に声に出していきます」と言われても、混乱して言葉が出てこない人もいます。そこで「ブロック法」の「ダイエットに成功する方法」の型を利用します。

■ブロック法：ダイエットに成功する方法

(1) ○○な時がありますね……シチュエーション設定

ダイエットがなかなかうまくいかない時がありますよね。

(2) そんな時は●●しましょう……問題解決アドバイス

そんな時はまず、食事の量を少しだけ減らして、逆に3食きっちり食べることからはじめてみましょう。

(3) そうすると□□になることができます……結果の説明

これにより、あなたは少しずつ無理なくやせることができます。

(4) それは■■だからです……結果が得られる？理由の説明

その理由は、空腹をあまり感じることなく、1日のカロリー摂取量を減らすことができるからです。

(5) でも、××すると◆◆になってしまいます…禁止事項の説明

でも、**食事をまるまる抜いてしまうと、体が飢餓状態に陥り、**カロリーの吸収率が高くなって、逆に太ってしまうのです。

(6)（A社で働く）Bさんは●●をして□□になることができました……**事例**

私はこのやり方で、さほど頻繁に運動をせずとも1カ月で2キロやせることができました。

(7)　○○な時は●●しましょう。□□になることができますよ……
　　　　　(1)〜(3)のことを再度「**結論**」として言う

なかなかダイエットが成功しない──**そんな時はまずは食事の量を少しだけ減らして、逆に3食きっちり食べることです。それによりスムーズにやせることができるのです。**

　この「型」を見ながら、例文を自分の得意分野に変えて声に出してみましょう。コツは「目の前の人に語りかけるように」です。さあ、録音機能をONにして、始めてみましょう。録音できたらご自身のトークを聴いてみることです。あなたのセオリーで──

(1)　シチュエーション設定

（2）問題解決アドバイス

（3）結果の説明

（4）結果が得られる理由の説明

（5）禁止事項の説明

（6）事例

（7）結論

　が言えていたら OK です。何度か練習していくと「型」が頭に刷り込まれてスラスラと言葉が出てくるようになります。ここまでできたら、次の「実践応用編」で、長文のトークライティングに挑戦です。

7-8　長文トークライティングに挑戦！
―トークライティング法実践応用編―

　ここからは、実際にウェブメディアで記事を執筆する時のような「長文」でトークライティングをおこなう方法を解説します。長文の場合でも、やることは同じです。今度は「ブロック法」の「誰でも簡単に早起きが出来る方法」の型を利用していきます。

（1）○○な時がありますね……シチュエーション設定

早起きをして 1 日を充実させたい。
そんなふうに思う時がありませんか？

（2）そんな時は●●しましょう……問題解決アドバイス

そんな時は早朝に誰かと「約束」をしてしまいましょう。
カフェで打ち合わせをする、
ZOOM 早朝 MTG をする、早朝オンライン配信をするので
も構いません。

（3）そうすると□□になることができます……結果の説明

そうすることで、早朝に必ず起きることができるのです。

（4）それは■■だからです……結果が得られる？理由の説
明

なぜそんなに簡単に早起きすることができるのでしょうか？
それは「誰かとの約束を破るわけにはいかない」からです。
" 自分だけ " との約束ならば簡単に破れてしまいますが、
" 誰かとの約束 " を破ってしまうと迷惑をかけてしまうからで
す。

（5）でも、××すると◆◆になってしまいます…禁止事項
の説明

だからといって、約束をあまりにも早い時間にしてしまうと
ハードルが上がってしまいます。

寝坊したり、遅刻したりしてしまいますから、

たとえば朝6時ではなく朝7：30、

あるいは8：00に待ち合わせするなど、

最初はハードルを下げることが重要です。

（6）（A社で働く）Bさんは●●をして□□になることができ
きました……事例

食品メーカーに勤めるAさん（36歳）は、早起きが大の苦
手でした。

おまけにいつも残業ばかりで、平日に自分の時間がとれずに
いました。

ある時同僚と朝7時30分に会社近くのカフェで朝食をとり
ながら「前倒し残業」をするように切り替えてみたのです。

夜型のAさんは早起きに不安を覚えましたが、同僚と、それ
ほど早くもない7時30分という時刻に待ち合わせをするこ
とで、Aさんは早起きに成功し、定時で仕事を切り上げられ
るようになりました。

（7）○○な時は●●しましょう。□□になることができま
すよ……（1）～（3）のことを再度「結論」として言う

早起きをして1日を充実させたい。

そんな時は早朝に誰かと約束しましょう。

そうすることで、早起き習慣をスムーズに身につけることが

できます。

アフター7を思う存分、楽しむことができるようにだってなれるのです。

　まずは基本編と同じように、上記の「型」を見ながら、自分の専門分野に変えて声に出して言ってみましょう。目の前に語り掛けたい相手がいるとイメージして「語りかけるように」言葉にしてみましょう。

　さあ、録音機能をONにして、さっそくやってみましょう。録音したらまた自分で聴いてみることです。少々つたなくても、抑揚のある心のこもったセオリーを語れていたら合格です。目の前に誰かいることをイメージしにくい方やモチベーションをあげたい方は、好きな人（身近な人・芸能人・推しの人などなど）の写真をぜひ用意してください。

　ブロック法の「型」を見ながらで大丈夫です！目の前の人に語りかけるように感情を込めて伝えたいノウハウを語りましょう。

　さて、ここで文字に残さなければ、ブログ投稿や連載サイトに提出することなどができません。次にトークライティングを原稿に残す方法を3つご紹介します。

◆方法1

　録音せずにトークライティングをしながら、耳に残った記憶をたどり1ブロックずつもしくは1行ずつ、パソコンかノートにメモをしていく。

◆方法２

　トークライティングを (1) ～ (7) まで録音して、パソコンを立ち上げて「書き起こし」をする。

　書き起こしの方法には２パターンあります。

a) 録音した音声を聴きながら打ち込んでいく

b)「Google ドキュメント（chrome のアプリ）」を立ち上げて「ツール」から「音声入力」を選び、マイクを起動させて録音再生し、音声入力されたものの誤字や誤変換を直していく。

◆方法３

　スマートフォンにて「Google キープ」というアプリを立ち上げる。

（※ない場合はダウンロード（無料））

　「Google キープ」の音声入力機能をつかってトークライティング。

　音声入力されたものをブログや Word などにコピーペーストする。

　この「トークライティング」＋「原稿に残す方法」で、書くことが苦手な人でも、抑揚ある感情のこもったノウハウエッセイを文章化することができます。

7-9 トークライティングは ここを押さえればOK！

―トークライティング技あり編―

　この「トークライティング」で最も重要なことは、はじめは文字を書かずに練習するということです。最初からペンを持ったり、あるいはキーボードに向かってしまうと「書かなきゃ！」という意気込みで心が固まってしまい、一文字も書けない状況になってしまうからです。トークライティング法を使っても、書くことを意識しすぎると、苦戦してしまうものです。

　ですから、まずは「会話」をするつもりで口だけを動かしましょう。この時、あなたの脳は会話するための言葉をつむぎだそうとフル回転します。この時「書けない！」と苦悩している時とは、異なる脳の部位を使うことになります。

　最初は「文章がうまくかけたのは偶然かな？」とも思いましたが、何度やっても結果は同じです。どんな人でも、会話さえできればトークライティング法で文章作成力が即、上達するのです。

　トークライティング後の自分の文章を読んでみると、しっかり読者にメリットが伝わる文章になっていることに気づきます。「トークライティング」をマスターすれば、誰に読まれても恥ずかしくない文章が、"歌うように"書けるのです。

　私も執筆中に行き詰まったときに、何度もこの「トークラ

イティング」に救われました。

「執筆脳」の回転が止まってしまったとき、普段執筆に使われていない「会話脳」を使うというわけです。

執筆は、座っているだけとはいえ体力をかなり要します。首も肩も固まりやすくなります。そんなとき、立ち上がってブロック法を頭に思い浮かべてトークライティングをすると、ビックリするほど言葉がでてくるのです。

7-10 ショートケーキ法（変則ブロック法）

ショートケーキを大正時代に日本で初めて販売したのは、不二家だとされています。その後、冷蔵庫が普及するようになった1950年代に、ポピュラーなケーキとして一般家庭に広まったそうです。

ここでは変則ブロック法である「ショートケーキ法」を紹介します。7つのパートから構成される「ブロック法」で書いた文章を、スポンジとクリームの重なった豪華な7層のケーキだとイメージしてみてください。ここに、「イチゴ」を乗せるのが「ショートケーキ法」です。イチゴとは、文章の導入部分のことです。

ブロック法の一つ目は
「(1)　○○な時がありますね……シチュエーション設定」でした。

この「シチュエーション設定」の部分は、「うんうん、そういうことあるある！」と読者に共感してもらうためのパートです。このパートを第一に持ってくることにより、読者は共感し、積極的にコラムを読もうという気持ちになります。

　そして、この上にさらにもう一つ、**ケーキを美味しそうに見せるための飾り、つまりイチゴを配置するのが「ショートケーキ法」**です。このイチゴ部分では、通常次の3つのどれか、を書きます。

・シチュエーションを表す会話
・現在起きている事実を表すデータ
・過去に起きた歴史的事実（データを伴う場合もあり）

　これら3つのイチゴのいずれかを導入部分に配置することで、読者の頭には確実に「絵」が浮かびます。良い文章、そして親しまれる文章とは、読者のイマジネーションを刺激する文章です。

　このイチゴを乗せることで、ブロック法の一つ目「シチュエーション設定」を補強したり、日々の雑談から重要なヒントを得るような親しみやすさを読者に与えたり、導入部から読者の知的好奇心をくすぐることができます。イチゴは、読者をあなたの文章に誘う「甘い誘惑」なのです。

　それでは、実際にイチゴの例を見てみましょう。まず、「シチュエーションを表す会話」からです。

上司「テレビ電話会議？　ダメダメ！実際に足を運ばないと、お客さんに失礼だよ」
部下「部長、お言葉ですが、ウチのクライアントの○○商事では、すでに全社リモートワーク体制だそうですよ……（トホホ）」

　コロナ禍の中、リモートワークや、それに伴うテレビ電話会議の導入あるいは社内のAI化などを提案したいと思っても、「**上司に却下される**」という悩みをお持ちではありませんか？そこで、**昭和世代の管理職に「ＹＥＳ」と言わせる**には、こんな**会話術**があります。
（続く）

　ここで太字になっている上司と部下の会話が「イチゴ」です。そのあとに続く「コロナ禍の中〜」という「シチュエーション設定」の部分を補強しています。
　次に、「現在起きている事実を表すデータ」の例を挙げます。

　2020年5月現在、東京都にある事業所の6割が「テレワーク」を導入しています。
　この流れに沿って、自社でもぜひ導入したい！　と考えている経営者や管理職の方、あるいはＩＴ部門の担当者がいると思います。しかし、そこで、**若手と年配スタッフの間にある「ＩＴリテラシーの社内格差」**がネックになっているケースが見受けられます。そこで、その格差を解消するには、こ

んな方法があります。
（続く）

　ここの第一文、具体的な数字を示しながら、現在起きている事実を伝えている部分が「イチゴ」になります。「ふうん、そうなのか……」と読者に思わせ、関心を引きます。「この流れに沿って〜」という、その後の「シチュエーション設定」も補強しています。最後に、「過去に起きた歴史的事実（データを伴う場合もあり）」です。

**　80年代、現在の「テレワーク」の先駆けとして、「サテライトオフィス」の設置をおこなう企業が現れました。当時は、女性の社会進出が顕著になった時代でした。女性が結婚や出産で通勤が困難になってもオフィスに通わずに働けるようするため、「サテライトオフィス」が設置されたのです。**
**　現在、コロナ禍をきっかけに「テレワーク」を導入しようか迷っている経営者、担当者の方がたくさんいると思います。ここで、「テレワーク」を導入する5つのメリットを紹介します。**
（続く）

　ここでの80年代の話が「過去に起きた歴史的事実」です。読者の知的好奇心、知識欲をくすぐりつつ、「現在も、似たような状況になっていますよね」と暗に伝え、そのあとに続く「シチュエーション設定」を補強します。また、「過去に

はこんな事例がありました。現在もそれにならえば、こんな方法が役に立ちますよ……」という説得力の強化にもつながります。

　基本の「ブロック法」に慣れてきたら、この「ショートケーキ法」をぜひ試してみてください。ここに読者の関心を引くような面白い「イチゴ」を乗せることで、より読者の心をくすぐることができます。面白い「イチゴ」として、漫才のような会話や、あっと驚くトリビアを書くのも良いでしょう。

　ハウツー文章をただのトリセツではなく、あなたにしか書けない文章にするために、この「イチゴ部分」が大いに活躍します。

　また、どんなイチゴを乗せようかな、と考えることで、あなたの知識量や表現力も格段に上がり、専門家として何倍も、同業者との差をつけることが可能となります。慣れてきたら、ぜひあなただけが乗せられる「イチゴ栽培」にいそしんでみてください。

7-11　ストーリー法をモノにする

「"疑わない事"それが"強さ"だ」

　これはマンガ『ワンピース』に登場するシルバーズ・レイリーというキャラクターの名言です。ストーリーの中に「学び」がある。あなたは、幼少の頃から親しんできた、マンガ、

児童書、小説、ドラマ、映画などで、これまでに幾度もそのような経験をしてきたはずです。さて、ここで異例のライティングメソッドを紹介します。

それは「ストーリー法」です。「ストーリー法」とは、自分、あるいは架空の人物を主人公にした「成功物語」を書き、その中にノウハウをちりばめる方法です。

ベストセラー書籍の中にも、この「ストーリー法」を使って書かれている本があります。

『夢を叶えるゾウ』

『チーズはどこへ消えた』

『大富豪からの手紙』などです。

読者は物語を楽しみながら、同時にメソッドを学ぶことができます。ただし、ハウツー系のウェブメディアで「ストーリー法」による記事を募集しているところはほとんどありません。ウェブメディアなどに応募する際は、主にサンドイッチ法、時折ブロック法で書くことが必須です。

あるいは、商業出版企画であれば、書籍として出版される場合もあります。それは「ストーリー法」なので企画が通るというわけではありません。他のハウツー本と同様に、時代に求められる問題解決方法を提示していることが採用の決め手となります。それでは、この「ストーリー法」の書き方を解説します。

以前に、セオリーの「30個フレーズ抽出」をおこなったと思います。

　30 個セオリーがあれば、30 の小さな物語が書けます。た
とえば、「魅力的な男性を見つけたらすぐに告白せずに、他
に 10 人の男性を引き出してください。魅力的な男性の後ろ
には、10 人以上の魅力的な男友達がいます」というセオリー
がありました。このセオリーを実際に実行し、素敵な彼氏を
ゲットした女性の物語を書くのです。

　主人公は『セックス・アンド・ザ・シティ』に登場するよ
うな都会的な 30 代の独身女性、としましょう。その女性の
周囲にも、同じように、洗練されたファッションに身を包み、
夜の街で遊び慣れたミドルアッパークラスの独身女性が存在
します。その中には、恋愛が得意な女性も、そうでない女性
もいます。

　主人公は、3 年付き合った彼にふられ、新しい出会いを求
めている最中です。そこで、2 人の女友達と夜の街に繰り出
したところ、バーで素敵な男性に声を掛けられました。
「これって運命の出会いだと思う？」

　主人公は舞い上がって、一緒にいた友人 2 人に意見を求め
ますが、そこで「恋愛慣れしている」友人がこんなことを言
います。「いい男を見ても、焦っちゃダメ。いい男の後ろには、
もっといい男が 10 人は潜んでいるんだから！まずは、その
イケメンコミュニティに招待されることよ」こんなアドバイ
スをもらい、主人公は思いとどまります。

　そして、バーで知り合った男性と「まずはお友達」になり、
その後彼の主催する船上パーティーに招待されます。そこに
は友人のアドバイス通り、いい男が 10 人以上。そこで、「新

たな恋」を予感させる、別の素敵な男性と出会うことができました——。

　こんなストーリーに仕立てるのです。物語は、一話完結としても良いですし、シリーズものとして、続けて書くスタイルでも良いでしょう。また、あなたがノウハウを得るに至った実際のエピソードを、あなた自身を主人公にして物語調で書いても良いですし、別の架空キャラクターをつかい、多少の創作を入れながら書くスタイルでも良いです。

　物語の終わりには、次のように、その話の中で語られたセオリーやノウハウの「まとめパート」を設けると、読者の頭に残りやすくなります。

■今回のストーリーのポイント

魅力的な男性を見つけたらすぐに告白せずに、他に10人の男性を引き出すこと！
魅力的な男性の後ろには、10人以上の魅力的な男友達が存在する

　などです。大切なのは、あなた自身が楽しんで書くことです。気分が乗った状態で書かれたストーリーは、テンポやノリが良くなり、読者を物語の世界に惹きつけます。難しく考えず、リラックスしながら、ユーモラスに書きましょう。
　続きや他の話が読みたくなるストーリーを書くことで、読者は自然とあなたのブログを何度も訪れるようになってくれ

ます。そうして、ファンを確実に増やしていくことができます。

　あなたのブランディングのためには、まずはウェブメディアでの連載デビューを目指すことです。

　そのためには、ブロック法やサンドウィッチ法を先に身につける必要があります。ですが、たまに息抜きとして、この「ストーリー法」でのノウハウ・ライティングを行うことで、クリエイティブなモチベーションが維持できます。そして、あなたのコアなファンを掴むことも可能となるのです。

〈メモ〉
疑問点もついでに書き出してしまいましょう！

第8章

1000 倍読まれる！
メジャー WEB メディアで
連載しよう！

～自分に最適なメディアを見つけて
応募しよう！～

8-1 まずはともあれ 「ブログ」からスタート！

「ウェブメディアで執筆している人は、特別優れた専門家なんだろうなぁ……」

そんなふうに思うかもしれません。現在地位を築いている有名コラムニスト・エッセイストも、最初はブログから始めた人が大半です。ブログは誰でも簡単に立ち上げることができます。しかも「お役立ちコラム」であれば、1週間に2～3回の頻度で更新し続けることによって、ファンを獲得することができます。なぜなら、人とは誰でも「困りごと」があれば検索をするからです。

そして、検索結果には、あなたが書いたブログが表示されます。この辺りは本書の前半においても、何度か言及させていただきました。

ブログは無料の媒体だけでも、約20種類は存在します。

■無料ブログ名／月間訪問者数（2021年1月現在）
1. Amebaブログ／約2億2480万人
2. FC2ブログ／約2億3450万人
3. livedoorブログ／約1億8043万人
4. Blogger／約8474万人
5. はてなブログ／約8119万人
6. gooブログ／約5113万人
7. Exciteブログ／約2730万人

8. JUGEM ／約 1593 万人

9. 楽天ブログ／約 1477 万人

10. ココログ／約 1421 万人

11. Note ／約 1368 万人

12. LINE ブログ／約 1274 万人

13. yaplog! ／約 390 万人

13. FANBLOG ／約 384 万人

14. Seesaa ブログ／約 64 万人

15. 忍者ブログ／約 32 万人

16. ウェブリブログ／約 9 万人

　「お役立ちコラム」を書いて発信し、セルフブランディングをする目的のブログの場合、訪問者数の多い媒体を使うのがおすすめです。ポピュラーなのが Ameba ブログや livedoor ブログなどです。FC2 ブログの訪問者数も多いですが、ここはアダルトコンテンツも含むため、その人数もカウントされています。各ブログによって、ユーザーの特徴があるので、事前にインターネット検索で情報収集をしてから、ブログを開設しましょう。

　また、専門家として本格的に活動をおこなっていくのであれば、無料ブログではなく、サーバーを自身で借りて「ワードプレス」で個人ブログをつくるのも一つです。「サーバー」というのは、WEB 上にある土地のようなもので「ワードプレス」は土地に立てる家のようなものです。どのような家にするのか――つまりどのようなサイトにするのか、自由にレ

イアウトすることが可能です。維持費は、月額1000円程度です。

　もちろん、デザインにこだわりたい人は、専門のデザイナーに依頼をしたり、有料のフォーマットを購入したりする必要があるので、その分の費用が多少かかります。ブログはあなたの分身と言っても過言ではなく、いつでもどこでも、自分の裁量で更新することができます。ある意味書いて発信する人間の身分証明書なのです。

　ウェブメディアで連載のオーディションを申し込んだ時にも、編集者が必ずその人のブログをチェックします。「どのような内容の事が書いてあり、どのように読者にメリットを提供できているか」を審査するのです。あるいは出版を目指す時も、出版社の編集者が、必ず著者のブログを読んで、クオリティを確認します。また、講演を依頼したいときや、あなたのサービスを受けたいと考えている顧客候補の方も、必ずブログをチェックします。

　つまり、ブログは著者文化人として活動するための通行手形だと言えます。ブログがあることによって、その著者の人となり、そして内面や考え方を知ることができ、信頼してもらえるのです。

　そんな重要な役割を果たすブログではありますが、構える必要はありません。まずは気軽に始めてみましょう。無料ブログであれば、10分、15分で立ち上げることができます。「ブログを立ち上げるかどうか」これが、今後のあなたの人生を左右するといっても過言ではありません。

8-2 ブログの 1000 倍読まれる WEB メディア

2010 年代に「コンテンツマーケティング」という新しいマーケティング手法が浸透しました。ブログや自社メディアに、お役立ちコラムをコツコツと書き、読者やファンを増やし、自社の商品やサービスの販売につなげるという方法です。個人の専門家の場合でも書いて発信しているうちに、メディアの取材が来て、世の中に認知され、ビジネスにおける大きな成果が得られる場合もあります。

これらは確かに事実ですが、実は、1 年以上の時間のかかることです。今日始めたからといって、来月にもう何千人、何万人に読んでもらうということは、不可能に近いでしょう。

しかし、一気に何千人、何万人、何十万人に読んでもらう方法があります。それが、ウェブメディアで連載をするということです。ウェブメディアの場合は、メディア自体の読者数が圧倒的に多いので、質の良い記事を書けば、多数の人に読んで貰えます。読者数が多い理由は、ウエブメディアが広告収入によって運営されていることにあります。

広告収入をクライアントからもらうためには、多くの人に見てもらえなければいけません。そのために、読者の役に立ったり、面白いと思ってもらえる記事に特化し、何百本、何千本と掲載しているのです。

様々なターゲットを対象とした、ウェブメディアが世の中

には存在しています。その中で、自分に一番ピッタリ合った
メディアを選び、オーディションを受け、そこでの連載を
勝ち取ってほしいと思います。報酬は、1記事2500円から2
万円前後と幅があり、一流メディアになると1記事4万円ほ
どの原稿料が貰えるメディアもあります。

　連載を獲得し、そこで原稿を書くことによって、一夜にし
て何千人、何万人、何十万人の人に、あなたの記事が読まれ
あなたの存在が短期間に知られるようになり、ブログにも多
くの読者が流入します。そこから、やLINE@に読者登録が
発生し顧客候補になっていくのです。また、あなたの記事を
読んだ他のメディアから取材のオファーが来ることがありま
す。

　私はデビュー当時、All About というメディアで女性向
けに恋愛ノウハウ記事を書き、1記事につき、約30万人の
人に読まれていました。テーマは「男ゴコロの本音」でし
た。その記事がきっかけですべての女性誌に200回以上取材
され、その他のメディアにも100回以上登場しています。ま
た、テレビや雑誌、広告、ラジオへの出演や、講演の機会を
得られ、ビジネスが大きく膨らみました。このように、ブロ
グでコツコツ書くだけでなく、ウェブメディアで連載をさせ
てもらうということが、大きくレバレッジをかけ、飛躍する
ポイントなのです。

　あなたもぜひウェブメディアのオーディションを受けて、
連載を勝ち取ってください。

8-3　読者の心理行動を研究しよう

「このコラムは、まさに私のために書かれたに違いない！」

　読者にそう感じさせることが、ファンを掴む第一歩です。そこで、「自分の文章を読む読者が誰なのか」を今一度明確にしてみましょう。そこで、「ペルソナシート」を作るのがおすすめです。「ペルソナ（persona）」とは、サービス・商品の典型的なユーザー像のことで、マーケティングにおいて活用される概念です。

　実際にその人物が実在しているかのように、読者の代表例を詳細にプロファイリングするのです。あなたの読者はどんな人でしょうか。

　まず、一人のキャラクターをつくりだし「○○さん」と名前をつけてみましょう。そして、年齢、性別、家族構成、居住地、職業、役職、年収、趣味、特技、価値観、家族構成、生い立ち、休日の過ごし方、ライフスタイル、リテラシー、どんな悩みを持っているのか……など、その人物のリアリティある詳細な情報を設定し、「ペルソナシート」を作成します。

　このように、「誰に向けて書くか」というターゲットを明確に絞り、ユーザー像をより細かく設定することで、記事がよりリアルになり、クリック率がUPするのです。ペルソナを作る時に、

「もっと広いターゲットを想定しなくていいのだろうか？」と不安になるかもしれません。もちろんターゲットを26歳〜38歳の婚活中の女性などと、広く設定することは必要です。しかし、ここではあえて、たった一人に絞ってプロフィールを作っていくことが大切です。

そうすることによって、読者の気持ちを敏感に察知し、強い読者ニーズを満たす、具体的な文章が書けるようになるからです。無駄な作業のように思えても、これをやるのとやらないとでは大違いです。ペルソナシートを作って、読者の悩みや心理状態、つまずいているところを詳細にイメージし、その上で文章にすると、その状況に陥っている読者が強く共感します。

たとえば、ペルソナを、渋谷区在住、年収は450万円、週末は、合コンやクラブイベント、パーティ、フェスに行くライフスタイルで、男性と知り合う機会は多いけど、友達止まりになりがちな28歳の女性、とします。このペルソナを設定した場合、年収は400万円、東京寄りの埼玉県在住、週末はクラブではなく、仲間とサーフィンに行く……という32歳の女性も、「これって自分のことだ……」と思って読んでくれるのです。

そして、一人にそう思わせることができれば、その後ろには、何百人、何千人と共感してくれる読者がいます。実在の人物をモデルにしても構いません。「こういう人の問題を解決できる」と思えるペルソナをまずは設定してみましょう。

8-4　各種 WEB メディアをサーチしよう

　2019 年、インターネットの広告費取り扱い高が初めてテレビを抜きました。これからは、まさにウェブメディアの時代です。実際、世の中には、さまざまなウェブメディアが存在します。連載を勝ち取るには、世の中にどのようなウェブメディアが存在するのかを知り、その中で、自分がどの媒体に一番向いているのかを選定する必要があります。

　実際に「人気ウェブメディア」のキーワードでネット検索すると様々な「メジャー級」のウエブメディアのまとめサイトなどが表示されます。

　たとえばこんなふうにです。

・人気ウェブメディア、Web メディア、ネットメディア 100
・月間 500 万 PV 超えの人気 Web メディアサイト一覧まとめ
・月間 1000 万 PV 級の WEB メディア媒体をまとめてみました
・【WEB メディア 240 選以上】WEB メディア鬼まとめ
・業界別 Web メディアまとめ 26 選──アクセス数も公開
・WEB 系の情報メディアサイトおすすめ 15
・月間 500 万 PV 超えの人気 Web メディアサイト一覧

　コンテンツの内容により、読者層が幅広いものからニッチ

向けまでさまざまで、広告も多種多様です。ターゲットは単に男性、女性というだけでなく、独身、子持ち、富裕層、若年層……などに細かく分かれ、「趣味嗜好別」に特化されているのです。その一覧の中から、あなたが書くのにふさわしいメディアを選定してゆきましょう。実際にメディアを閲覧し、自分のテーマと同じジャンルが存在するかどうかを確認します。

また、『メディアレーダー（https://media-radar.jp/）』というサイトがあります。企業が、ウエブメディアに広告を出すときにウェブメディアの特性をサーチできるサイトです。このサイトにアクセスし、自分が書いて発信している「お役立ちコラム」のジャンルを検索バーに入れてみましょう。たとえば、「恋愛」と入れてみます。すると、10～20代のおしゃれ好き女子に特化した。『Peachy（ピーチィ）』というサイトや、株式会社 Gunosy が提供する月間アクティブユーザー数 No.1 の女性向けアプリメディア『LUCRA（ルクラ）』などがヒットします。

また、老舗の All About は、セルフブランディングにとても適しています。仕事や取材を依頼したい企業は、All About の専門ジャンルを見て専門家を探すことが多いです。ここでライティングをしたことによって世の中に出て行った人は数知れずいます。

メディアを選定する時には、
①年齢層　②性別　③メディアの目的（ライフスタイル）の3つを調べて自分との親和性を検証することです。

全く関係ないウェブメディアのオーディションを受けても、合格しません。仮に合格しても、「そのジャンルで一番」になることは難しく、ブランディングには非効率的です。

また、どうしてもお伝えしなくてはいけない重要なことが1つあります。メディアには、必ず寿命があるということです。新しく生まれて隆盛を極めるメディアもあれば、古くから存在していたのに、急に運営が停止される場合もあります。その栄枯盛衰を大前提として、メディアとのかかわりを作っていくことが大切です。

8-5　オーディションに応募しよう

「僕のレベルは知らず知らずに上がっていった。

なぜなら、僕が戦う相手は、いつも自分より強かったからである。」

これはプロテニス選手・松岡修造さんの言葉です。これから、あなたにもこの「気が付いたらレベルが上がっていた！」という体験をしていただきます。

さあいよいよ、「ウェブメディア連載獲得」のオーディションを受ける時がやってきました。オーディションに合格し、ウェブメディア執筆という「メジャーデビュー」を果たすことで、あなたのステージはどんどんアップし、他のプロ執筆家と肩を並べるようになります。

それでは、オーディションに応募する方法を解説します。実は、応募方法はとても簡単です。ウェブメディアのサイト内にある「ライター募集」という応募フォームに記入をして送信するだけでいいです。

　この応募フォームには、

1. 自分が書きたい執筆テーマ
2. 自分のプロフィール
3. １回目から10回目前後までの執筆タイトルとテーマ候補
4. ３のそれぞれの解説（２〜３行）

　この４つを記載します。

　応募フォームによっては、この４つのフォームが存在しない場合があります。その際も上記の趣旨の内容を、うまく記載するのがポイントです。まずは必ずそのメディアをくまなく研究します。どんな企業が運営しているのか、ターゲットは誰なのか、どのような記事が書かれ、人気記事ランキングにランクインしているのか、それらはどのような文体で書かれているのか……。

　場合によっては、サンプル原稿の添付を指示される場合があります。その時に、大切なことは、本書で学んで書いた文章を、そのウェブメディアの人気記事のテイストにアレンジし、添付することです。そうすることで、「うちのメディアにマッチしている」と思ってもらえます。

　また、「要望に柔軟に対応できる書き手ですよ」という暗

黙のアピールにもなります。その後、オンラインまたは対面で、面接があることもあります。

　ここでも、なるべく面接を担当する編集者の質問に、ポジティブに「出来ます」と答え、前向きなコミュニケーションをとることです。

　正確さよりも、ポジティブさと、柔軟性をアピールした方が有利です。慎重になりすぎてネガティブな返答をしたり、安易に「できない」と言ったり、あるいは消極的な印象を与えるのはお勧めしません。誰だって、「一緒に仕事をしやすい人」と仕事をしたいものです。人は「スムーズに一緒に仕事ができる人」を信用します。NO の多い人、条件の厳しい人が自己中心的な印象を与え、信用してもらえないは、どこの世界でも同じです。さあ、この一歩から人生が変わります。勇気を出して、複数のメディアに応募をしてみましょう。

8-6　執筆を継続する 3 つの秘訣

「それでは、来月から執筆をお願いします。編集部共々、○○さんの記事を楽しみにしております！」

　何度かの審査を経て、晴れて連載の合格の返事を頂くことができました！新しい扉が開くとても嬉しい瞬間です。この瞬間、あなたが書いた記事が、何万人、何十万人に、継続的に読まれることが約束されました。ウェブメディアによって

は、3ヶ月間の試用期間があります。記事の執筆は、編集者と相談をしながら進めていきます。最初の5回から10回の執筆テーマを決め、それらの記事の納品スケジュールを打ち合わせるのです。さらには原稿料の支払い条件を含む、簡単な契約書を交わす場合もあります。

　デビューしたての頃は、様々な不安を抱いてしまうと思います。

「ネタが続くのだろうか？」

「自分の原稿が本当に読まれるんだろうか？」

「文章がヘタすぎてクビにならないだろうか？」

　不安は尽きないでしょうが、一本一本書き上げることを5回、10回、50回と続ければいいだけなのです。

　ここに、執筆の継続力を養う3つの秘訣を紹介します。

1. 執筆タイトルを10回分提出する

　毎回執筆テーマを提出するのではなく、10回から15回分をまとめて書き出し、それを編集部に共有しておきましょう。

　これにより、専門家としてのノウハウが豊富にあること、継続の意志があることが編集部にも伝わります。そして、一回一回執筆テーマを考える手間も省け、計画に沿って着々と書くライフスタイルが構築されます。

2. その道のプロの専門家として、執筆テーマについて毎日考える

執筆テーマに関連する情報を収集したり、目の前で起きた現象を日々、分析し、考察するのです。こうすることで、あなたはその道のプロとして、さらに成長していきます。ネタが見つかったら、ノートやスマホに常に書き記しておきましょう。

3. 最も書きやすい時間帯を発見する

朝型の人、夜型の人、人それぞれですが おすすめは朝起きて書くということです。頭がクリアになっていて、質も量も、夜の３倍から５倍期待できます。スラスラと良い文章が書けると自信が高まり、書き手としての自尊心が育ちます。また 締め切りに追われない生活になるので、ストレスフリーで過ごすことができます。

以上のことを踏まえて、まずは３ヶ月、その次は半年、さらに１年の連載継続を目指しましょう。数ヶ月経ってあなたの名前を検索してみると、数十件から数百件ヒットするはずです。専門家ライターとして、プロデビューしたことを実感してください。

プロの自覚をすることで、モチベーションが維持され、継続力がさらに上がってゆくのです。

8-7　ＰＶを集めるタイトルのつくり方

　2005 年に『人は見た目が 9 割』という本がベストセラーになりました。人は「見た目・雰囲気などの言語以外の93％の情報」により他人を判断しているそうです。「お役立ちコラム」を書いて発信する人も「タイトルの見栄え」で、困っている人に記事を見つけてもらわなければなりません。どんなに素晴らしいノウハウを書いていても、立ち止まってもらえなければ読んでもらえないからです。そこで、「ＰＶを集めるタイトル」を戦略的につくる必要があります。

　前の章でタイトルのつくり方は学びましたが、ここではさらにレベルを上げて学んでゆきましょう。

　タイトルをつくるときに重要なことは、読者に「自分に関係のあることだ！」と思ってもらうことです。ユーザーは、自分に関係のあることなのか、また自分にとって役に立つ情報なのかを、即座に知りたいと考えています。10 年前に比べて多種多様なウェブメディアが誕生し、情報が多様化、洪水化しているので、読者は「自分に関係ない」と判断したら、1 秒でクリックせずにスルーしてしまうのです。

　そこで、次の 3 つを意識してみてください。

（1）ペルソナをイメージしながらターゲットを絞ること

　　ターゲットを狭めることには、やはり不安がよぎるかもしれません。しかし、ターゲットを狭めてエッジを効かせることで、ピンポイントに当てはまる人だけでなく、過去に当てはまっていた人や少しだけ当てはまっていると感じる人の目を引くこともできます。

「With コロナで成婚率 UP ！？アラサー女子の婚カツ事情2020」

「渋谷で深夜まで仕事ができるカフェ 10 選まとめ」

　　このように、具体的なシチュエーションや場所、ターゲットの年齢層まで一目で分かるようにするのです。

（2）タイトルに SEO のキーワードを 1 つ以上盛り込む

　　たとえば「レストラン（ビッグキーワード）＋女子会（サブキーワード）」というキーワードで検索すると検索結果には、「駐車場あり」というサジェストキーワードも表示されます。これらをタイトルに盛り込み、

「女子会はここで決まり！横浜の駐車場付きレストラン５選」のようにするのです。

　　ＳＥＯのキーワードには季節要因を含む「急上昇ワード」

のように、トレンドがあります。Google アナリティクスなどで、自分のブログなどにどのようなキーワードで検索して読者が訪れているのか、常にモニターしていることが大切です。

（3）文字数は 30 文字以内が理想。大事なキーワードは文頭に！

理想は 21 文字以内ですが、30 文字まではタイトルの文字数としてはセーフです。30 文字をオーバーすると、Yahoo!や Google などの検索結果画面で、文末が省略されてしまいます。ウェブメディアでも、タイトルを「30 文字以内」と指定するところが多いです。ぜひご自分のブログなどでも、意識してみましょう。

以上のことを踏まえて、この本の前半のエクササイズで作った各記事の複数のタイトルを、もう一度見つめ直してみましょう。ノートや PC 内に書き込んだタイトル候補を見て、ブラッシュアップしてゆきましょう。

8-8　素人がメディアになる時代になった

三省堂「今年の新語」の上位に「インフルエンサー」という言葉が上がったのは 2017 年のことです。「インフルエンサー」とは、一定の影響力を持つ個人であり、その人が発信

するメディアから発信される情報が、人々の生活に影響を与える……そんな存在です。

　本書における「書いて発信」することの本当の目的は「お役立ちコラム」を書いて、たくさんのファンの役に立ち、さらに実業の宣伝をして、ビジネスを大きくするということです。しかし副産物として、自分が運営するブログや SNS などで、商品やサービスを紹介し、大きな収益を得ている人もいます。「ブロガーやライター、コラムニストから、"インフルエンサー"になる人もいる」そんなことを、予備情報として知っておいても損はないでしょう。

　かつてマスメディアは、TV やラジオ、新聞など、特権を持った媒体のみでしたが、いまは個人で自分のメディアを持つことができる時代です。そのひとつがブログです。最近では、一般人から「インフルエンサー」になった人もたくさんいます。たとえば、メイクアップアーティストのイガリシノブさんです。30 万 5000 人のフォロワーを持ち、その中には日本人だけではなく、韓国をはじめとしたアジアの 10 代〜20 代女性もいます。そのため、アジアにおける女性向け商品・サービスを紹介し、現在ではオリジナルの化粧品ブランドも展開しています。

　デジタルインファクトが 2019 年に行った国内市場調査によると、2020 年から 2025 年までの 5 年間で、インフルエンサーマーケティングの市場規模は、約 2 倍になるとの予想

が立てられています。また、2020年から2023年までの市場規模の内訳を見ると、Twitterやブログなどの文字媒体は成長が1・03倍とほぼ横這いであるのに対し、InstagramやYouTubeなどの動画や画像の投稿がメインのSNSはそれぞれ1.45倍、1.67倍と大きく伸びると予想されています。

執筆を本業とするブロガー、ライター、コラムニストなども、動画や画像コンテンツの制作と掛け合わせることで、「インフルエンサー」として、さらに影響力を発揮できる可能性を秘めています。

8-9　セルフメディアを充実させよう！

「本店に行ってみたい！」．

素敵なジュエリーのブランドをショッピングモールで知ったあと、このように思う女性は少なくありません。

メジャーなウェブメディアに連載することは、多くの通行人のいるショッピングモールへに出店するようなものです。そこは読者を振り向かせ、悩んでいることを解決し、あなたと信頼関係を築く場所です。そのショッピングモールに出店したならば、自分の本店に読者という見込み客を導く必要があります。その本店が「セルフメディア」です。

「セルフメディア」を構築し、本店に読者を導くという仕組みを作らなければ、仮にその連載メディアが運営されなく

なったり、連載が打ち切りになったりした場合に、あなたは多くの読者を失ってしまうことになります。

「セルフメディア」とは、その名のとおり「自分自身をブランド化」するために「自分自身を表現・発信」するメディアのことです。読者はあなたの連載を読んでファンになった時に、必ずあなたのプロフィールを見ます。そして、どのような活動をしているのかを知り、その後、本店であるセルフメディアの URL をクリックするのです。そしてあなたのブログを見たり、ホームページを見たり、メルマガや LINE @に登録をします。その時のために、充実したブログやホームページといったセルフメディアが存在する必要があるのです。

セルフメディアは、以下のような媒体でつくることができます。

・FACEBOOK ページ
・ウエブサイト（ホームページ）
・メルマガ
・LINE @
・YOUTUBE
・FACEBOOK ライブ
・ZOOM ライブ

これらの中には、あなたが運営している実業のより詳細な情報や、コンサルティングメニューやオンラインサロンといった商品・サービス、そして、それらの購入方法などが記

載されている必要があります。この中で「ウェブサイト（ホームページ）」というものがあります。これについては、プロのウェブデザイナーに、製作を依頼するのが一番安心です。

　少々の投資をすることで、時間を節約しながら、クオリティの高いものを作ることができます。

　それ以外については、書籍やネット情報に、作り方の解説がほとんど出ています。最近ではYouTube動画での解説も充実しています。週末に時間を作って、見よう見まねで一気に構築してしまいましょう。構築が終わったら、すべてのプロフィールにそれらのURLを必ず記入することです。

　また、連載しているメディアによっては、セルフメディアのリンクを貼ってくれることもあります。ダメ元で編集者に相談をしてみましょう。もし運良くリンクを貼ってもらうことができれば、大量の読者が「本店」に流れ込んできます。

　あなたの「本店」が魅力的であれば、読者はますますあなたのファンになってくれます。そして一生のお付き合いが始まるのです。

第9章

自分で講座や
オンラインサロンを
やってみよう！

～自分のコンテンツ・ノ
ウハウをお金に変えるテク
ニックを学びましょう！～

9-1 With コロナ時代は オンラインサロンが一人勝ち

　2014年に堀江貴文さんが「堀江貴文イノベーション大学校」というオンラインサロンを開設しました。その人気の影響で、コロナが発生する以前から、オンラインサロンが注目を集めていました。オンラインサロンとは、個人が持っている特技や知識を教えるバーチャルな会員制スクールのことです。

　月々1000円から5000円の会費で、入会・退会自由、とするところが多いです。会員を100人から500人、多い人ですと数千人から1万人以上集める人もいます。
「オンラインサロンの作り方」に関する本やオンラインサロンを作るためのコンサルタントも存在します。コロナ発生以後リアルでおこなっていた講座をオンラインサロン化することで、遠方にいる人などが参加できる、というメリットが生まれました。コロナ発生後は、オンラインサロンを実施していないコーチやコンサルタント、セラピストといった職種の人は、生き残ることが難しくなるでしょう。

　オンラインサロンを開設するのであれば、まずは一人3980円／月ぐらいの会費で、会員100人を目指してみてください。そうすると収入も40万円に近づき、実業としてのプチサクセス体験をすることができます。オンラインサロンの勝手を知るために、まずは気になるオンラインサロンに、

数ヶ月参加してみるのがおすすめです。すると、自分自身の
オンラインサロンをどのように構築すればよいかについて、
具体的な策が見えてきます。

　良いところはマネをし、悪い部分は改善点として活用すれ
ば良いのです。また、あなたの顧客の中には、大勢で授業を
受けることが苦手であったり、人に聞かれたくない悩みを相
談したいと思ってる方もいます。そのため、マンツーマンの
講座も用意しておくことです。マンツーマン講座は、思い切っ
て高額の値段をつけることをおすすめします。

　例えば月に90分のアドバイスを2回実施する場合、3ヶ
月コースは合計で15万〜20万円、6ヶ月コースは28万円
〜34万円くらいが良いでしょう。このような価格設定にす
ることで、あなたは本気で受講者と向き合うことになります。
また、受講する側も、本気で目標達成しようとします。大事
なノウハウを伝えるメニューですから、これぐらいの値段に
して全く問題ありません。　あなたのファンは、オンライン
サロンとマンツーマン講座を比較し、自分にとってのメリッ
トを検討した上で、どちらかのメニューに申し込もうとしま
す。

9-2　講演依頼ドットコムなどの 講師登録サイトに登録する

「いつかは何百人もの聴衆を前に、講演をやってみたい」

先にもお伝えしたとおり、こう思う専門家は多いものです。実際にウェブメディアでの連載執筆者や、書籍出版した著者から「実は今度、講演をさせていただくことになりました！」と報告を受けることがあります。もちろん実績が積み重なり、著名になってくれば、依頼を受けて講演をする機会が増えてきます。

　検索などで、見つけてくれる講演依頼者もいますが、それだと、依頼をしてもらえるまで、待つしかありません。そこで「講演の依頼を仲介」してくれるエージェントに登録しておくと、依頼される機会が格段に増えます。

　以下のような講演依頼のエージェントサイトがあります。

・講演依頼 .com (kouenirai.com)
・講師派遣 .net (koushihaken.net)
・スピーカーズ (Speakers.jp)

　これらに登録することで、あなたのことを知らない依頼者に知ってもらい、講演の声がかかるチャンスを得ることができます。

　依頼者が講演者を探すとき「講演テーマ」で、エージェント内検索をかける場合がほとんどです。

　あなたの事を知らなくても、目的別で探しているうちに、たどり着くということがあるのです。そしてここでも、専門ジャンルを明確にすることがやはり大事です。一番最初に決めた、「何の専門家であるか」という肩書きがここでも役に

立ちます。

　防災のことをお話してくれる人。コミュニケーションのことを話してくれる人。婚活のことを話してくれる人。教育のことを話してくれる人。文章の書き方について話してくれる人。

　依頼者はこのように、探している人物像について、具体的にイメージしています。登録するメリットとしては、値段交渉から依頼の確定、そして報酬の入金まで、全てエージェントがやってくれるということです。値切り交渉に応じる必要もなく、慣れない対応に困惑することもありません。上記の他にも、たくさん講師登録サイトがあるので、専門性を明らかにした上で、登録しておくことをおすすめします。

　すぐには依頼が来なくても、忘れた頃に依頼が来ることがあります。20万円、30万円という、記入したとおりの希望の講演料が承諾され、嬉しい悲鳴を上げることも珍しくありません。もちろん、初めての時はとても緊張すると思います。しかし、しっかりと準備を行い「会場に来た人と共通のテーマで会話を楽しむ」つもりでのぞんでください。「最高の講演をしてやる！」と意気込むのも1つですが、講演の良し悪しよりも「会場に来てくれた人に、何か1つでも役立つ知識を持って帰ってもらおう！」という気持ちになる方が、緊張感はやわらぐものです。こうした経験が、あなた自身の大きな成長につながります。

9-3　集客プラットフォーム活用でマネタイズ

「自分の専門スキルを生かしてスクールを開業したいけど、生徒が来るのか不安……」

　そんな悩みをお持ちではありませんか？講座を開催する時に、とても便利なプラットフォームがあります。

　ストリートアカデミーです。

https://www.street-academy.com/

　これまでの累計受講者数は約60万人、掲載されている講座の数は5万件以上にのぼります。ここにあなたの講座を登録することで、サイトが受講者を集めてくれます。成功報酬として少々の手数料を支払う必要がありますが、集客の手間を省くことができます。

　ジャンルも多種多様で、ビジネススキル、ウェブ・ＩＴ・デザイン、写真・映像、ハンドメイド・クラフト、ものづくり・ＤＹＩ、料理・グルメ、ビューティー・ヘルス、ヨガ・フィットネス、スポーツ・アウトドア、英語・語学、起業・副業・キャリア、ライフハック・自己啓発、文化・教養、趣味・ライフスタイル、子育て・キッズなどなどがあります。

　このプラットフォームは、初心者でも使いやすいので大変おすすめです。潮凪道場〜WRITAS！〜の生徒さん（20代・女性）も、書いて発信することからセルフブランディングを

始めました。その後このストリートアカデミーに自分が主催するアクセサリー教室を掲載し、会社の給料と同じぐらいの収入を得ることができました。やがて会社を辞め、結婚・出産をし、子育てをしながら、アクセサリー講座を定期的に開催しています。

ストリートアカデミーに登録することによって信頼され、先生として講座を開催することができます。講座のレッスン料も自由に設定できますし、オンライン講座も開催できます。

コロナ発生後は、オンライン講座に切り替えているスクールがたくさんあります。ZOOMでも教えることが可能な内容であれば、ぜひオンライン講座を開催しましょう。生徒が集まらず、会場費を支払ったら赤字になる、なんてこともありません。生徒にとっても、交通費の負担が減り、レッスンを受ける敷居が下がります。あなたの専門分野をレクチャーできる講座を、まずは勇気を出して登録してみましょう。

9-4 プチ文化人・著名人として クリエイティブに稼ぐ

さてあなたは専門家として、書いて発信することによるセルフブランディングをスタートしました。今、すでにあなたは「何者か」になりつつあるはずです。では、その先には、どんな未来が待っていると思いますか？

それは、「専門家として『人に役立つ情報を発信』し、商品やサービスも販売しつつ、知名度・影響力を拡大して『専

門家・著名人・文化人』になっていく」ということです。

　言われた通りの作業をする仕事とは一線を画します。これまで発揮できなかった自分らしさやセンスを活かすことができます。自分のつくったノウハウを商品化すれば、マネタイズ——いわゆる収益化のチャンスはどんどん増えてゆくのです。

——1時間×5回の講座動画を収録し、YouTube に期間限定でアップロード。その講座動画を有料で販売することだってできます。有料動画を販売するための「販売ページ」を、ホームページやブログの中に作り、商品の写真や説明、値段や決済方法、「講座動画を見て学ぶと、どのように人生が変わるのか」まで、詳細に記載します。そして、お金を払ってくれた方だけに、その「限定公開の講座」の URL をお届けするのです。またサービスとして「月に1回質問できる特典や「月1回の公開質問会の参加権」を付けたりします。

　このように仕組みさえ作っておけば、あなたのホームページがあなたが知らないところで24時間あなたの商品を営業してくれるのです。たとえ5000円から20000円の小口商品だったとしても、URL を送るだけですから手間もかからず、在庫も持たずに済みます。このように、一度作ったコンテンツを形を変えて様々な方法で販売することを「ワンコンテンツ・マルチユース展開」と言います。

　専門家・著名人・文化人として役に立つ情報を発信することは、ブログ記事をまとめた書籍、講座、講座の有料動画、

講演会、メディア出演……など、さまざまな形で収益を得ることが可能です。そして、一度知名度が上がると、知的財産で長く食べていくことができます。

　もちろん、華やかに活動しているように見えても、地道にコツコツとコンテンツを作り続ける必要があります。

　より専門家としての知見を増やし、より顧客満足度を高めるコンテンツの研究・開発を怠らない人が、マネタイズに成功し続けるのです。

9-5　メディアが取材したくなる活動のつくり方

　プレスリリース配信サービスを展開する株式会社バリュープレスの調査によれば、96％の記者がプレスリリースから記事ネタを探すそうです。

　"プレスリリース"とは、各種「企業」が新聞、テレビ、ウエブメディア、ラジオなどの「報道機関」に対して、新しい情報を発表することです。報道機関は、各種企業の発表から「視聴者・読者に『有益な情報』をピックアップ」して報道します。プレスリリースは「自分たちのあらゆる活動を取材してもらい、視聴者や読者に広めてもらえる手段」と認識するとよいでしょう。

　私が2002年に恋愛エッセイストとしてデビューした時には、マスコミを味方につける作戦を多く取りました。それは

あえてメディアが取材したくなるようなニュースフルな活動を執筆以外にもたくさん実施したということです。

　たとえば、恋愛力がアップする「恋愛体質改善ホテル」の企画です。クリスマスの一ヶ月間、「恋愛体質改善ディナー」と恋愛コンシェルジュルームでの「恋愛相談」「恋愛体質改善ワークショップ」をホテル内で展開しました。東京都港区にある「ザ・ビー赤坂」で「日本初の恋愛コンシェルジュが常駐するホテル」として実現しました。

　著述業である恋愛エッセイスト・潮凪洋介が「恋愛体質改善ホテル」の企画をしているというのはとてもニュースフルです。実際に産経新聞の経済欄を含め、25 ものメディアで取材・報道されました。

　このように、ネタが面白ければ、血眼になってメディアに売り込まなくてもよいのです。ありえない組み合わせであればあるほど、メディアは飛びつきます。

　ホテルという場所を、「恋愛体質を改善させる施設にする」という前代未聞の発想が、メディア関係者の心を掴みました。アイデアが浮かばないという人でも、異色の組み合わせを考えていくうちに、スマッシュヒットの組み合わせが生まれるはずです。

　私がおこなったのは、大きな商業母体とのコラボレーションでしたが、そこまで大がかりでなくても構いません。自分一人でできることでも構いませんし、オンライン上で異色のコラボレーションをして、新しいコンセプトを作っても良い

でしょう。そのありえない組み合わせを作ったら、そのイベントを主催し、ニュースリリースを発信すればよいのです。ニュースリリースの書き方は検索で出てきます。

また「ニュースリリース配信スタンド」も複数あり、1回の配信を1万円から3万円でやってくれます。

そして何千ものメディアにそのニュースリリースが届き、面白い！と思われれば、取材が向こうからやってくるのです。このように、広告費を払わなくても、取材をタダで持ってくるというアクションをぜひ行ってみて欲しいと思います。

さあ、あなたなら、どんなニュースフルな活動を考えますか？

9-6　人生100年時代をどう過ごす？

公益財団法人生命保険文化センターが2019年におこなった調査によると、老後の生活に対して80％以上の人が不安を感じているそうです。その理由として「公的年金だけでは不十分」であることがダントツ一位です。人生100年時代をどう過ごすのか、あちこちでそんな話題が飛び交っています。60代で会社を引退した後100歳まで生きるとすれば、30年以上の時間があります。この間、年金も全額補償されるとは限りません。

これまでと同じライフスタイルを維持するためには、やは

りお金を稼ぎ続けなければいけないと考えられます。しかし、嫌な仕事に耐え、意に反して頭を下げたり、作り笑いをしたりして老後を過ごしたいとは思わないはずです。だからこそ、30代、40代あるいは50代のうちから自分が好きで得意なことを見極めておく必要があります。

　自分の裁量で仕事をし、充実感を味わいながらコツコツとお金を稼ぐ、というライフスタイルを少しずつでも作っていくのです。本書を読み、実践すれば、読者や顧客から感謝・尊敬されながら、一生涯楽しく、そして自分らしく過ごせる人生が実現するはずです。

　よっぽど嫌なお客さんや読者がいれば、自分の裁量で関係を解消すればいいでしょう。

　会社にいた時のように自分を殺して、そういった人々を相手にする必要もありません。

　人生100年時代、何の専門家になり、どんなテクニックで発信していくか？そのようなことをじっくり模索したり、読者の気持ちを掴むために、多少の時間はかかっても良いと思います。

　あなたにも本業があるはずです。書くことによるセルフブランディングで明日から全生活費を稼がなければいけないわけではありません。

　1年、2年、3年、5年の時間をかけて、努力を積み重ねていけば良いのです。

　人間は自分が死ぬ間際に、「やりたいことをやらなかったこと」をいちばん、後悔するそうです。

　好きなことを追求し、アウトプットして、自分も他人も幸福にする——

　そんな充足感に溢れたラストシーンを迎えたくはありませんか？あなたは今、それができる入り口に立っています。自分ブランドで生きていくということ。書いて発信するということ。それが今後の人生においてどれだけ大切な役目を果たすのか、実際に活動を始めてみるとわかります。

　「今までとは人生が180度変わる」私はそう断言します。

9-7　WEB メディアデビューの次は 紙の書籍出版も夢ではない！

　今、世の中は " 出版不況 " と言われています。実際に、90年代後半の出版全盛期以降、20年の間に、市場規模は半分に縮小しています。

　ここで商業出版は難しい、と思われるかもしれません。しかし、「書いて発信」するセルフブランディングを続けた人で、商業出版への道が開かれた人を、私は数多く見てきました。

　まずはブログを書いて、その後にウェブメディアでの連載をスタートする。これが「書いて発信」するセルフブランディングの順序です。その後に待っている輝かしいステージ、それが商業出版です。商業出版とは、全国の1000店舗以上の

書店で書籍を販売する出版で、出版社の厳しい審査を経て採用を勝ち取らなければ成し得ません。

　出版社は一冊の本を出すために約400万円のお金を投資し、その中から制作費や原材料費、人件費、印税などを捻出します。つまり、2000部代台後半〜3000部以上売らなければ利益の出ないビジネスモデルなのです。シビアな現実ですが、「お金になる」と思わなければ、出版社は企画を採用しません。そのためにも、商業出版の前に、ウェブメディア、特にメガメディアで連載をして欲しいと思うのです。

　すでに見込みの読者がいる、という実績を示すことで、出版不況の時代であっても、企画が通りやすくなります。ビジネスを加速させる飛び道具としても、商業出版はとてもおすすめです。

　私は普段、紙の商業出版書籍を出版するための講座やコンサルティングなどを行っています。2〜3人の会社の社長から1兆円企業の幹部の方まで今まで数え切れない書籍をプロデュースしてきました。

　その多くの著者たちが、紙の書籍の商業出版をしたことによって、世の中の信用を強く勝ち取っています。本を読んだ人が著者のファンになって著者の商品やサービスに興味を持つことは言うまでもありません。著者と一緒に働いてみたいと思ってもらえて、アライアンスの話が舞い込んだり、良い人材獲得のリクルーティングにも役立っています。もちろん本が売れれば印税が入ってきます。本や雑誌、新聞やテレビの取材が来ることもあります。世の中に影響を与えるメディ

アでの仕事は、とても楽しい側面があります。

　ここでも、やはりその人がウェブメディアで連載をしていたりセルフメディアをきちんと持っていることが大切です。それらの媒体で、活動実績を「見える化」しておくことで、書籍を出しやすくなり、出版とビジネスのさらなる相乗効果が期待できるのです。

9-8　書くことで著者文化人になろう！

　1999 年、「ノストラダムスの大予言」は見事にハズれ、代わりにＡＩテクノロジーの急速な発達が私たちの未来を変化させています。

　これから 1 年後、2 年後、5 年後、あなたはどうなっているでしょうか。普段の仕事をしながらも、もう一つ別の軸で「著者文化人」として多くの人に影響を与え、人生を楽しんでいるでしょうか。

　ぜひそうなっていてほしいと、願うばかりです。「別の軸」と書きましたが、その軸は、あなたの本業にも良い影響を与えることは間違いありません。自分らしくいられる居場所があることで、以前よりもイキイキと、本業に取り組めるようになるからです。「著者文化人」になることは、自分らしさを失わずに、自分の体で呼吸をしていることを実感し、自分軸で生きることそのものです。

知名度が上がってくると、当然、責任もつきまといます。街を歩いている時に声をかけられることもあります。芸能人とまではいかなくとも、あなたを知らない人があなたを知っている状態が待っています。公人として、生き方も、襟元を正さなければいけませんが、あなたは、さらに大きな喜びを得ることになります。

　あなたを育てた家族、子供たち、昔の友達に至るまでが、あなたを尊敬するようになります。彼らに勇気と喜びをプレゼントし、良いエネルギーの交換が行われるはずです。

　2020年コロナが発生し、一夜にしてパソコンやスマホ越しにリモートでサービスを提供することが当たり前の世の中になりました。

　<u>「書いて発信」するスキルがあることで、現在のビジネスをオンライン化して維持することや、ウェブを使った新規事業を興すことができます。また、失業したり、減給されたりなど、外的要因による本業への影響があっても自分軸を守りながら誇りを持って生きていくことができるのです。</u>
「人生は書くだけで動き出す」

　私は、この奇跡を保証したいと思います。もちろん、今日書き始めて、明日結果が出るようなことはありません。しかし大きなタンカーがゆっくりゆっくり航路を変えるように、あなたの行き先は、確実に変わってゆきます。一文字一文字奏でた文字が、大きく人生を動かしていくのです。

　あなたの人生、そして、何万人、何十万人という読者の人

生も然りです。さあ、今すぐそんな偉大な一歩を踏み出しましょう。

あとがき　編者を終えて——潮凪洋介

　最後までお読みいただき、本当にありがとうございました。今からちょうど10年前の2010年、ユーキャン流行語の候補として「リア充」という言葉がノミネートされました。そんな2010年に、私は東京都港区芝浦アイランドで著者エッセイスト養成学校「潮凪道場〜WRITAS！〜」を開校しました。

　この本は、上記の道場のノウハウと魂を注入した本です。その精神の1つとして「たったひとりでいい、ファンという名の生涯の友達を作ろう」という一文があります。

　「目の前のたった一人の人を感動させられれば100人、1000人が見えないところで感動してくれている」
という意味です。たくさんの読者ファンと向き合う人生は、とても魅力的で、かけがえのない使命感を感じさせてくれるものとなります。

　そしてもう1つ、書いて発信することは仲間を呼び寄せてくれます。

　書くことは、壮大な世界観を1人で作るという素晴らしい作業です。しかし、どんな著者も生身の人間、リアルでの「心のつながり」を求めてしまうものです。私自身もたくさんの本を書きベストセラーにも恵まれ、多くの喜びを得ました。ですが、やはりその喜びは一緒に頑張る人たちと分かち合ってこそ、最大のものになると思っています。道場を開いた後に、生涯忘れる事ができない素晴らしい執筆仲間たちと出会いました。そして、この本は10年の「集大成として、執筆

202

仲間たちと一緒に生み出した本です。執筆仲間たちは、もともとは道場の門を叩いた生徒さん達でした。その後、ともに稽古に励み、今ではプロの専門家ライターさん、コラムニストさん、著者さんに成長し、あちこちで活躍をしています。

この本はこの仲間全員で作った本であり、まさに、我々の力の結晶だと言えます。最後になりましたが、本著の制作にあたって、親愛なる SHIONAGI DOUJO の仲間に心より御礼を申し上げたいと思います。

書き手としての人生をスタートさせたとき、私が最初の一文字をなんと書いたかは、覚えていません。しかし、書くことによっていつしか人の輪が生まれ、チームとなり、この本が生まれました。そして、さらにここから新しいつながりが増殖していくと思います。

感傷にひたってしまいましたが…本著はあなた自身が幸せな人生を完全燃焼するための本です。「自分軸を持って好きで得意なことを発信し、自分も他人も幸せにする」あなたが、そんな「ハッピースパイラル」を作ってくださることこそ、我々チーム全員の願いであります。今ではＺＯＯＭを使って、地球上どこでもつながることができます。つながりたいと思った方は、ぜひ私達の門を叩いてみてください。そしてライティング・フルネスを感じ合いましょう。また、どこかで、お会いできることを願って、おわりの挨拶とさせて頂きます。

【読者特典のお知らせ】

■執筆のお悩みにワンポイントアドバイスします。

・書きたいテーマが決められずに迷っている。

・どんなジャンルの専門家ライターになるべきかわからない？

・自分に最もあった肩書きは？

などのお悩みをお寄せください。

お悩みや質問を添えて、以下、「読者特典相談係」までお送りください

webmaster@hl-inc.jp

※3週間以内を目安に返信をいたします（おひとり様1回）

※費用はかかりません。

●そのほかのお知らせ

＜ WRITING BAR ～潮凪洋介サロン～＞

「書くことで世界を楽しく」をテーマにした Bar 形式の
カジュアル・オンライン・サロン。美酒に酔いながら「書
くことを楽しみたい方」方におススメ。

楽しい仲間が広がります。初心者歓迎。

＜ SHIONAGI DOUJO ～ WRITAS ！＞

メジャーなウエブメディアでの連載オーディション
合格を目指すオンライン・スクール。
著者文化人を目指す人におススメ。
（http://www.shionagi-doujo.com/writas）

＜ SHIONAGI DOUJO ～ WRITAS! ～ メールマガジン＞

潮凪道場～ WRITAS ！～の講座・オンラインイベント
情報・文章ノウハウなどをお届けします。

【編著者】潮凪洋介（しおなぎ・ようすけ）
著者・作家・講演家・出版プロデューサー
著者養成学校 SHIONAGI DOUJO ～ WRITAS！～代表。
著書73冊・累計171万部。「自由人生の実現」「恋愛文化の発展」をテーマに執筆。シリーズ累計20万部突破のベストセラー『もう「いい人」になるのはやめなさい！(KADOKAWA)』、「人生は書くだけで動き出す（飛鳥新社）」「バカになれる男の魅力（三笠書房）」「男の色気のつくり方（あさ出版）」などがある。著者・エッセイスト養成・出版プロデュース学校「SHIONAGI DOUJO ～ WRITAS！～」を2010年に設立。多くの専門家ライター・著者・文化人を育成。これまで6800回以上の指導・講演をおこなう。また年商1億円～1兆円企業及び経営者のための「出版ブランディング」も手掛ける。2015年「目黒クリエイターズハウス」を東急目黒線洗足駅徒歩4分に建設。大人の海辺の社交場「芝浦ハーバーラウンジ」を創立、毎週木曜日開催し、2020年11月現在で開催回数は280回、参加者7900人を突破、「社外サードプレイス」として賑わう。
◆著者養成学校「SHIONAGI DOUJO ～ WRITAS！～」http://www.shionagi-doujo.com/
■連絡先：webmaster@hl-inc.jp

【著者】著者養成学校 SHIONAGI DOUJO ～ WRITAS！～

＜主幹制作協力＞
■ちりゅうすずか
恋愛コラムニスト
業界大手ウェブメディア『愛カツ』等の恋愛ライターを5年務め、300本以上の記事を執筆。また、「恋愛コーチング」のマンツーマンレッスンを実施し、これまで5000人以上の相談に乗る。2018年に書籍『恋の願望は思うがまま』（デザインエッグ社）を出版。そのほか、ビジネス書籍の出版プランナー、ブックライター、ライティングスクール講師としても活動中。得意分野は恋愛ジャーナリズム、中小企業の経営課題解決等。

＜副主幹・制作協力＞
■かがみやえこ
エッセイスト
ブログサイト「メンタルステップアップスクール希望」運営。
脚本家を目指していたが「自分の言葉で思考を伝えるエッセイスト」に魅力を感じ2012年エッセイストの修業をスタート。2014年電子書籍「気まずい空気を作らない！ハッキリ言えない人の為の対話術」出版 2017年同書 AmazonPOD ストア売れ筋ランキング4位。

■秋葉優美（あきばゆみ）
melia closet 代表。企業研修講師、コラムニスト・ライター
2014年イメージアップコンサルタントとして、独立。3000名以上の研修やファッションコーディネートの実績をもつ。また、身だしなみ、コミュニケーション、マナー、セ

ルフブランディングなどをテーマに、日本全国で法人向けの講演、研修を行っている。コラムニストとして WEB 連載実績も多数あり、エッセイスト／コラムニスト養成にも携わる。AllAbout ガイド。

＜制作協力＞

■東香名子（あずま・かなこ）
コラムニスト
ウェブメディアコンサルタント。おもに鉄道やライフスタイルの記事を執筆。文春オンライン、東洋経済オンライン等でアクセスランキング１位を獲得。テレビ・ラジオなどメディア出演多数。クイズが好き。著書に『100 倍クリックされる 超 Web ライティング 実践テク 60（パルコ出版）』、『100 倍クリックされる超 Web ライティングバズる単語 300（パルコ出版）』などがある。

■下村さき（しもむらさき）
エッセイスト・恋愛デトックスカウンセラー
恋愛に不安・疑問を持つ人に対して、原因を整理解決し、新しい幸せな恋愛スタイルづくりをサポートする「恋愛デトックスサービス」を主宰。結婚・出産後も子育てと仕事の両立を果たし、民放テレビ・ラジオにも出演。闘病生活中に「書くこと」に支えられた経験を持つ。著書に「わけもなく男が魅かれる女 50 のルール（三笠書房）」「苦手な女（ヒト）のトリセツ（自由国民社）」などがある。早稲田大学法学部卒。

■熊谷ナオ（くまがいなお）
著者・パレオダイエット研究家
パレオダイエットの理論や料理研究を通してパレオライフを実践。現在、各種メディア出演や雑誌、書籍の執筆と監修、講座やイベントなどで活動中。著書に『パレオダイエットレシピ〜健康とキレイを作る原始の食事〜』（マガジンランド）。『パレオスナックダイエット 腸をキレイにする「新・おやつ習慣」』（CCC メディアハウス）がある。Reebok CrossFit Games The Regionals に過去３回出場。2012 年のチーム部門では銅メダルを獲得。

■七夕女織（たなばためおり）
エッセイスト・Music セラピスト・癒しの音楽家
NY 在住。自動演奏ピアノ音源制作を経て、弾き語りやオリジナル曲を発表。2003 年渡米後、スピリチュアルやセラピーを研究し「音」のヒーリング効果を研究。「聞くだけでココロが軽くなる癒しの音の楽しみ方（POD 出版）」リリース（2017 年）、「今すぐヒーリングミュージシャンになる方法（POD 出版）」は米国 Amazon で２週連続新着１位（2018 年）。

■中村あや（なかむらあや）
コラムニスト／ライフシフトプランナー／不妊カウンセラー
広告業界から医療機関にキャリアシフトし、アロマやヨガなど代替医療を広く学びセラ
ピストとして独立。ウイメンズヘルスサポートの領域で BtoC の企業サービスに複数関
わり顧問なども。また女性関連のマーケティングおよび PR などに従事。書籍に「働き
たいけど産みたい新しいキャリ女のルール（POD 出版）」などがある。

＜特別協力＞

菊池由佳（きくちゆか）
編集者・ライター
（株）角川マガジンズ、（株）サイバーエージェント、楽天（株）にて Web コンテンツプ
ランニング歴 20 年。グルメ編集を経て、ウエディング、投資、農業など様々なジャン
ルのオウンドメディアを立ち上げる。インフルエンサーや著名人などの取材企画が得意。
日々読者と向き合い、書くことで人生が動き出すと信じている。

100倍「読者」が増える!「いいね」が付く!文章・コラムの書き方

2021 年 2 月 5 日　　初版発行

編著者	潮凪　洋介
発行者	和田　智明
発行所	株式会社 ぱる出版

〒 160 - 0011　　東京都新宿区若葉 1 - 9 - 16
03(3353)2835 −代表　03(3353)2826 − FAX
03(3353)3679 −編集
振替　東京 00100 - 3 - 131586
印刷・製本　中央精版印刷(株)

ISBN978-4-8272-1267-9　C0034